Leiv

LE NOËL D'HERCULE POIROT

Agatha Christie

LE NOËL D'HERCULE POIROT

Traduit de l'anglais par Françoise Bouillot

Éditions du Masque

Ce roman a paru sous le titre original :
HERCULE POIROT'S CHRISTMAS

Mon cher James,
Vous avez toujours été l'un de mes lecteurs les plus fidèles et les plus indulgents ; c'est dire à quel point recevoir de vous un mot de critique m'a troublée.
Vous y déploriez que mes meurtres deviennent trop épurés — exsangues, pour parler net. Vous y réclamiez « un de ces bons vieux meurtres bien saignants ». Un meurtre qui, sans l'ombre d'un doute, en soit bien un !
Cette histoire est donc la vôtre, écrite tout spécialement pour vous. Puisse-t-elle avoir l'heur de vous plaire.
Votre belle-sœur affectionnée,
Agatha.

PREMIÈRE PARTIE

22 DÉCEMBRE

1

Stephen releva le col de son pardessus et s'engagea sur le quai d'un pas vif. Un brouillard opaque pesait sur la gare. De grosses locomotives sifflaient fièrement en lâchant des tourbillons de vapeur dans l'air glacé. Tout était sale, noir de suie.

« Quel fichu pays ! Quelle saleté de ville ! » se dit-il, écœuré.

L'excitation première que lui avaient causée Londres, ses boutiques, ses restaurants et ses jolies femmes à l'élégance parfaite était déjà retombée. La ville lui apparaissait à présent comme un cabochon de strass clinquant serti dans une monture en fer-blanc.

Dire qu'il aurait pu se trouver en Afrique du Sud, à l'heure qu'il était. Il eut un soudain accès de mal du pays. Soleil, ciel d'azur, jardins aux mille senteurs, fleurs aux frais tons de bleu, haies de plumbagos... et puis des liserons mauves montant à l'assaut de la moindre bicoque.

Ici, au contraire, tout n'était que poussière, crasse, va-et-vient continu de gens hagards, tous à courir et à se bousculer — fourmis laborieuses affairées à sillonner leur nid.

« J'aurais mieux fait de ne pas venir », pensa-t-il un instant.

Puis il se rappela le but de son voyage et ses lèvres se pincèrent en une ligne dure. Non, bon sang de bonsoir ! il ne s'arrêterait pas en si bon chemin ! Cela faisait des années qu'il se préparait à ça. Ce qu'il

s'apprêtait à faire, il avait toujours voulu le faire.
Oui, il irait jusqu'au bout !

Ce recul momentané, ces questions qui lui
venaient soudain : « Pourquoi ? Est-ce que ça en
vaut vraiment la peine ? Pourquoi ne pas oublier le
passé ? Pourquoi ne pas laisser tomber... ? » — tout
cela n'était que faiblesse. Il n'était plus un gamin
pour se laisser ballotter au gré d'un coup de cafard. Il
était un homme de quarante ans, tenace et sûr de lui.
Ce qu'il était venu faire en Angleterre, il le ferait bel
et bien.

Il monta dans le train et parcourut le couloir en
quête d'une place. Il avait écarté le porteur et trans-
bahutait lui-même sa valise de cuir brut. Il passa
devant plusieurs compartiments : le train était
bondé. On n'était qu'à trois jours de Noël. Stephen
Farr contemplait avec dégoût la foule agglutinée.

Tous ces gens ! Cette marée humaine, qui n'en
finissait pas ! Et avec ça ils avaient tous l'air... comment dire ? si *ternes !* Si semblables, si affreusement
semblables ! Quand ils n'avaient pas un profil de brebis bêlante, ils avaient un faciès de garenne apeuré.
Certains jacassaient et s'agitaient. D'autres gro-
gnaient : des hommes à la quarantaine alourdie.
Ceux-là ressemblaient plutôt à des gorets. Même les
filles, minces, visage lisse, lèvres écarlates, étaient
d'une déprimante uniformité.

Il lui vint brusquement une folle envie de prairie
africaine, ouverte, immense, écrasée de soleil...

Et soudain, en passant devant un compartiment, il
eut un coup au cœur. Cette fille, assise là... elle était
différente. Des cheveux noirs, une pâleur veloutée,
des yeux sombres et profonds comme la nuit. Les
yeux mélancoliques et fiers des gens du Sud... Que
cette fille soit dans ce train, parmi ces gens grisâtres,
cela paraissait impossible ; impossible qu'elle soit en
route pour les tristes Midlands anglaises. Elle aurait
dû être à son balcon, une rose aux lèvres, une man-

tille de dentelle noire coiffant sa tête altière, et on aurait dû sentir alentour la poussière, la chaleur et l'odeur du sang — l'odeur des arènes... Elle aurait dû se trouver dans un décor sublime, et pas coincée ainsi au fond d'un wagon de troisième classe.

Stephen n'avait pas les yeux dans sa poche. Il ne manqua pas de noter l'aspect miteux de la jupe et du petit manteau noirs, la piètre qualité des gants de confection, les chaussures trop légères pour la saison et la note incongrue d'un sac à main rouge vif. Et pourtant « splendeur » était le mot qui lui venait en la regardant. Elle était belle, elle était exotique, elle était splendide, voilà !

Que diable était-elle venue faire dans ce pays de brouillard, de froid et de fourmis industrieuses ?

« Il faut que je sache qui elle est et ce qu'elle fait ici, se dit-il. Il le faut... »

2

Recroquevillée contre la vitre, Pilar se disait que les Anglais avaient décidément une drôle d'odeur... Jusqu'ici, c'était ce qui l'avait le plus frappée en Angleterre — la différence d'odeur. Pas d'ail, pas de poussière, et quasi-absence de parfums. Pour l'instant, ça sentait le froid et le renfermé — la puanteur sulfureuse des trains, mêlée à celle du savon et à une autre encore, très déplaisante, qui devait émaner du col de fourrure de la grosse dondon assise à côté d'elle. Pilar renifla délicatement, découvrant avec dégoût les relents de la naphtaline. Drôle d'idée que de s'inonder avec ça, se dit-elle.

Il y eut un coup de sifflet, une voix de stentor cria quelque chose, et le train s'ébranla en douceur. Ils étaient partis. Elle était en route...

Son cœur se mit à battre un peu plus fort. Est-ce que tout se passerait bien ? Est-ce qu'elle serait capable d'aller au bout de son entreprise ? Sans l'ombre d'un doute. Elle y avait si mûrement réfléchi. Elle s'était si bien préparée à toute éventualité. Oh oui, elle réussirait — il fallait qu'elle réussisse.

Sa lèvre rouge se retroussa, lui faisant soudain une bouche cruelle. Cruelle et gourmande, comme celle d'un chaton — une bouche qui ne connaissait que son propre désir et ignorait encore la pitié.

Elle regarda autour d'elle avec la franche curiosité d'un enfant. Que de gens ! Ils étaient sept, là, dans le compartiment. Et comme ils étaient drôles, ces Anglais ! Ils avaient tous l'air si riches, si prospères — ça se voyait rien qu'à leurs vêtements, leurs chaussures... Pas de doute, l'Angleterre était bien un pays riche comme on le lui avait d'ailleurs toujours dit. Mais pour ce qui est d'être gais, ils n'étaient pas gais, ça non !

Il y avait un très bel homme, debout dans le couloir. À tout le moins, Pilar le trouvait très beau. Elle aimait son visage bronzé, son nez busqué et ses épaules carrées. Plus vite qu'aucune Anglaise n'en aurait été capable, Pilar avait remarqué que cet homme l'admirait. À aucun moment elle ne l'avait regardé en face, mais elle savait très précisément combien de fois il l'avait dévisagée — et avec quelle expression.

Elle enregistrait le fait sans plus d'intérêt ou d'émotion que cela. Elle venait d'un pays où les hommes regardent les femmes avec un parfait naturel, sans éprouver le besoin de se dissimuler. Elle se demanda si celui-là était un Anglais et décida que non.

« Il est trop réel, trop vivant pour être anglais, décréta-t-elle. Et pourtant, il est blond. C'est peut-être un Americano. »

Il lui rappelait les acteurs qu'elle avait vus dans des westerns.

Un employé se frayait un chemin dans le couloir :

— Premier service ! Les voyageurs pour le premier service, s'il vous plaît !

Les sept voisins de Pilar avaient tous des tickets pour le premier service. Ils se levèrent comme un seul homme et le compartiment fut soudain désert et silencieux.

Pilar s'empressa de remonter la vitre qu'avait baissée de quelques centimètres une dame aux cheveux gris, d'allure résolument féministe, qui occupait le coin opposé. Puis elle s'abandonna sur son siège et regarda la banlieue nord de Londres défiler derrière la vitre. Elle ne tourna pas la tête au bruit de la porte qui s'ouvrait. C'était l'homme du couloir et Pilar savait, bien sûr, qu'il était entré dans le compartiment pour lui parler.

Elle continua de regarder rêveusement le paysage.

— Voulez-vous que je vous baisse la vitre ? demanda Stephen Farr.

— Oh non, au contraire, répondit Pilar sans s'émouvoir. Je viens de la remonter.

Elle parlait un anglais parfait, mais avec une pointe d'accent.

« Quelle voix délicieuse, songea Stephen pendant le silence qui suivit. Pleine de soleil... chaude comme une nuit d'été. »

De son côté, Pilar pensait :

« J'aime sa voix. Une voix ferme et forte, et virile. Il est séduisant — oh oui, il est très séduisant. »

— Le train est bondé, dit Stephen.

— Oui, n'est-ce pas ? J'imagine que les gens désertent Londres parce que tout y est si noir.

On n'avait jamais inculqué à Pilar que c'était un crime de parler à des inconnus dans les trains. Elle savait se garder aussi bien qu'une autre, mais ignorait les tabous.

Stephen eût-il été élevé en Angleterre qu'il aurait sans doute été gêné d'engager la conversation avec une jeune fille. Mais il était d'un naturel expansif et trouvait tout ce qu'il y a de plus normal de parler à autrui quand l'envie lui en prenait.

Il lui sourit donc sans fausse honte :

— Londres est un endroit atroce, non ?

— Oh si ! Je ne l'aime pas du tout.

— Moi non plus.

— Vous n'êtes pas anglais, hein ? dit Pilar.

— Je suis britannique, mais je débarque d'Afrique du Sud.

— Oh, je vois, ça explique tout.

— Et vous, vous arrivez de l'étranger ?

Pilar hocha la tête :

— Je viens d'Espagne.

— D'Espagne ? répéta Stephen, intéressé. Vous êtes espagnole, alors ?

— À moitié. Ma mère était anglaise. C'est pour ça que je me débrouille en anglais.

— Que pensez-vous de cette guerre ? demanda Stephen.

— C'est horrible, oui... et désespérant. Il y a eu des dégâts, plein de dégâts, partout.

— De quel bord êtes-vous ?

Les convictions politiques de Pilar semblaient plutôt vagues. Dans son village, expliqua-t-elle, personne ne prêtait grande attention à la guerre civile.

— Elle n'est pas arrivée jusque chez nous, vous comprenez. Bien sûr, le maire a été nommé par le gouvernement, alors il est pour le gouvernement, et le curé est pour le général Franco. Mais la plupart des gens ont déjà assez à faire avec la terre et les vignes — ils n'ont pas le temps de s'occuper de la question.

— Alors il n'y a pas eu de combats du côté de chez vous ?

Pilar répondit que non, pas du côté de chez elle.

— Mais, poursuivit-elle, j'ai traversé tout le pays en voiture et j'ai vu beaucoup de destructions, oui. J'ai vu aussi tomber une bombe qui a fait exploser une voiture... et puis une autre, qui a détruit une maison. C'était plutôt excitant !

Stephen Farr eut un petit sourire en coin :

— C'est tout ce que ça vous a fait ?

— Non, c'était embêtant aussi, parce que je voulais continuer ma route, et que le chauffeur de ma voiture avait été tué.

Stephen la regarda avec plus d'attention :

— Vous n'en avez pas été bouleversée ?

Pilar écarquilla ses grands yeux noirs :

— Tout le monde doit mourir un jour ! C'est la vie, non ? Si ça vous tombe comme ça du ciel d'un coup — boum ! —, ça n'est pas plus mal qu'autre chose. On est vivant un moment... et la minute d'après on est mort. Amen !

Stephen Farr se mit à rire :

— Vous ne m'avez pas l'air d'une pacifiste, vous !

— Pas l'air d'une quoi ?

Pilar semblait perplexe à l'énoncé de ce mot qui ne faisait visiblement pas partie de son vocabulaire.

— Pardonnez-vous à vos ennemis, señorita ?

Pilar secoua la tête :

— Je n'ai pas d'ennemis. Mais si j'en avais...

— Eh bien ?

Il la fixait, fasciné par la douceur et la cruauté de sa lèvre retroussée.

— Si j'avais un ennemi, dit gravement Pilar, si quelqu'un me haïssait et que je le haïsse, alors je lui couperais la gorge *comme ça*...

Elle fit un geste expressif.

Un geste si rapide et si cru que Stephen Farr en resta un instant sans voix.

— Vous êtes une jeune personne assoiffée de sang, dit-il en fin de compte.

— Et vous, vous lui feriez quoi, à votre ennemi ? s'enquit Pilar, prosaïque.

Il sursauta, la contempla, puis éclata de rire.

— Je me le demande, dit-il. Je me le demande bien !

Pilar eut une moue de réprobation :

— Allons, vous le savez très bien, en fait.

Il cessa de rire, prit une longue inspiration et dit tout bas :

— Oui, je le sais...

Puis il changea de sujet :

— Qu'est-ce qui vous amène en Angleterre ?

— Je vais désormais habiter dans ma famille, répondit Pilar avec une certaine retenue. Dans ma famille anglaise.

— Je vois.

Il se renfonça dans son siège. Tout en l'étudiant, il se demandait à quoi ressemblaient ces parents anglais dont elle parlait, et ce qu'ils allaient bien pouvoir faire de cette sauvageonne... Il essayait de s'imaginer la jeune Espagnole en train de fêter Noël au sein d'une famille anglaise bien classique.

— C'est joli, non, l'Afrique du Sud ? demanda soudain Pilar.

Il se mit à lui parler de l'Afrique du Sud. Elle lui prêtait l'attention ravie d'un enfant qui écoute une histoire. Il apprécia ses questions à la fois naïves et fines, et s'amusa à enjoliver son récit à la manière d'un conte de fées.

Le retour des occupants légitimes du compartiment mit fin à ce divertissement. Il se leva, lui sourit au fond des prunelles et s'en retourna dans le couloir.

À la porte, tandis qu'il s'effaçait pour laisser le passage à une dame âgée, ses yeux tombèrent sur l'étiquette d'une valise d'osier manifestement étrangère. Il lut le nom avec intérêt : *Miss Pilar Estravados*. Mais, quand il distingua l'adresse, il sentit l'incrédulité — et pas seulement l'incrédulité — l'envahir : *Gorston Hall, Longdale, Addlesfield*.

Il se retourna à demi et observa la jeune fille avec une expression nouvelle — perplexe, contrariée, soupçonneuse... Il sortit enfin dans le couloir et resta là à fumer une cigarette en fronçant les sourcils.

3

Dans le grand salon bleu et or de Gorston Hall, Alfred Lee et sa femme Lydia discutaient des préparatifs de Noël. Alfred était un homme entre deux âges, plutôt trapu, au bon visage et aux doux yeux marron. Il s'exprimait toujours d'une voix calme et avec une grande netteté d'élocution. La tête enfoncée dans les épaules, il donnait une curieuse impression d'inertie. Lydia, sa femme, évoquait au contraire un lévrier débordant d'énergie. D'une minceur presque excessive, elle faisait preuve, dans tous ses mouvements, d'une étonnante grâce vif-argent.

Son visage émacié, jamais maquillé, n'était pas beau, mais racé. Elle avait une voix charmante.

— Père insiste ! était en train de dire Alfred. Il n'y a qu'à s'incliner.

Lydia contint un soudain mouvement d'impatience :

— Faudra-t-il donc toujours que tu lui cèdes ?

— C'est un très vieil homme, ma chérie...

— Oh, je sais ! Je sais !

— Et il veut faire comme il l'entend.

— Bien sûr, dit Lydia d'un ton sec, puisque c'est comme ça qu'il a toujours fait ! Mais un de ces quatre matins, Alfred, il faudra bien que tu y mettes le holà.

— Que veux-tu dire, Lydia ?

Il lui avait jeté un regard si visiblement surpris et peiné que, pendant un instant, elle se mordit la lèvre et sembla hésiter à continuer.

— Que veux-tu dire, Lydia ? répéta Alfred Lee.

Elle haussa ses minces et gracieuses épaules. Puis elle dit, en s'efforçant de choisir ses mots avec soin :

— Ton père a... tendance à être... quelque peu tyrannique.

— Il est vieux.

— Et il va devenir encore plus vieux. Et par conséquent encore plus tyrannique. Où cela s'arrêtera-t-il ? Il régente déjà nos vies. Nous ne pouvons pas faire un seul projet ! Quand par hasard nous en faisons un, il est toujours susceptible d'être annulé !

— Père entend passer en premier, dit Alfred. Mais il est très bon avec nous, ne l'oublie pas.

— Oh ! Bon avec nous !

— *Très* bon avec nous, répéta Alfred d'une voix sévère.

— Tu veux dire sur le plan financier ?

— Oui. Lui-même a des goûts très simples, mais il ne nous refuse rien. Tu peux dépenser sans compter pour tes robes ou pour la maison, les factures sont toujours réglées sans un murmure. Il nous a offert une nouvelle voiture pas plus tard que la semaine dernière.

— De ce point de vue-là, ton père est très généreux, je le reconnais, dit Lydia. Mais en contrepartie, il attend de nous une soumission d'esclaves.

— D'esclaves ?

— Je ne retire pas le mot. Tu *es* son esclave, Alfred. Si nous avons projeté un voyage et que tout soudain Père désire que nous restions, tu annules tout sans protester ! S'il lui prend la fantaisie de nous envoyer au diable Vauvert, nous voilà partis... Nous n'avons aucune vie à nous — aucune indépendance.

Son mari eut l'air navré :

— Je n'aime pas t'entendre parler comme ça,

Lydia. C'est profondément injuste. Père a tout fait pour nous...

Elle retint la réplique qu'elle avait sur les lèvres et haussa encore une fois les épaules.

— Tu sais très bien, reprit Alfred, que Père t'aime beaucoup.

— Eh bien, moi, je ne l'aime pas du tout, répondit-elle tout net.

— Lydia, ça me désole de t'entendre parler comme ça. C'est tellement méchant...

— Peut-être. Mais on éprouve parfois le besoin de dire la vérité.

— Si Père se doutait...

— Ton père sait très bien que je ne peux pas le souffrir. Je crois d'ailleurs que ça l'amuse.

— Là, vraiment, je suis sûr que tu te trompes. Il m'a souvent dit combien il te trouvait charmante.

— Oh, bien sûr, je suis polie avec lui. Je le serai toujours. Je te dis simplement ce que je pense : je n'aime pas ton père. J'estime que c'est un vieillard sournois et tyrannique. Il te persécute, il abuse de ton affection. Ça fait des années que tu devrais lui tenir tête.

— Assez, Lydia ! Je t'en prie, n'en dis pas plus.

Elle soupira :

— Excuse-moi. J'ai peut-être eu tort... Parlons de nos arrangements pour Noël. Tu crois que ton frère David va vraiment venir ?

— Pourquoi pas ?

Elle secoua la tête d'un air de doute :

— David est si... bizarre. Songe qu'il n'a pas mis les pieds ici depuis des années. Il était tellement attaché à votre mère... Cette maison lui rappelle trop de souvenirs.

— Avec sa musique et ses airs rêveurs, David a toujours tapé sur les nerfs de Père, dit Alfred. Peut-être aussi que Père a été parfois un peu dur avec lui.

Mais je crois que Hilda et lui viendront quand même. C'est Noël, après tout.

— Et paix sur la terre aux hommes de bonne volonté, murmura Lydia.

Sa bouche délicate prit un pli ironique :

— J'en suis moins sûre que toi ! En tout cas, George et Magdalene viennent. Sans doute demain, ont-ils dit. J'ai bien peur que Magdalene ne s'ennuie à mourir !

— Que mon frère soit allé épouser une fille de vingt ans de moins que lui, ça me dépasse ! dit Alfred d'un air quelque peu contrarié. George s'est toujours conduit comme un imbécile.

— Il fait une belle carrière, dit Lydia. Ses administrés l'aiment bien. Je crois que Magdalene l'aide beaucoup sur le plan politique.

— Je ne l'aime pas beaucoup, murmura Alfred. Elle est très jolie ; mais elle me fait parfois penser à ces très belles poires, tu sais, avec la peau toute rose, comme cirée...

Il secoua la tête.

— ...Et qui sont pourries à l'intérieur ? compléta Lydia. Comme c'est drôle que tu dises ça !

— Pourquoi drôle ?

— Parce que tu es toujours tellement bonne pâte. C'est tellement rare que tu dises du mal de quelqu'un. Ça m'énerve parfois que tu sois si peu... Ah ! comment dire ? Si peu méfiant, si peu conscient des réalités !

Son mari eut un sourire :

— J'ai toujours estimé que le monde, c'était ce qu'on en faisait.

— Non ! répliqua Lydia. Le mal n'est pas une vue de l'esprit. Le mal existe ! Tu ne sembles pas en avoir conscience. Moi, si. Je peux sentir sa présence. Je l'ai toujours sentie, ici... dans cette maison.

Elle se mordit les lèvres et détourna la tête.

— Lydia..., commença Alfred.

Mais elle leva vivement la main, les yeux rivés derrière lui. Il se retourna.

Un homme brun, au visage impénétrable, se tenait debout devant eux dans une attitude déférente.

— Qu'y a-t-il, Horbury ? demanda sèchement Lydia.

Horbury répondit à voix basse, dans un respectueux murmure :

— C'est Mr Lee, madame. Il m'a prié de vous dire qu'il y aurait deux invités supplémentaires pour Noël, et de vous demander de bien vouloir leur faire préparer des chambres.

— Deux invités de plus ? répéta Lydia.

— Oui, madame, dit doucement Horbury. Un monsieur, et une jeune personne.

— Une jeune personne ? dit Alfred, un peu surpris.

— C'est ce qu'a dit Mr Lee, monsieur.

Lydia dit d'un ton vif :

— Je vais monter le voir...

Horbury fit un petit pas en avant — à peine l'esquisse d'un mouvement, mais qui suffit à arrêter l'élan de Lydia :

— Pardonnez-moi, madame, mais Mr Lee fait sa sieste. Il a bien précisé qu'il ne voulait pas être dérangé.

— C'est bien, dit Alfred. Il va de soi que nous ne le dérangerons pas.

— Merci, monsieur.

Sur ces mots, Horbury se retira.

— Je déteste cet individu ! s'écria aussitôt Lydia. Il rôde partout comme un chat ! On ne l'entend jamais venir.

— Je ne l'aime pas beaucoup non plus, mais il connaît son métier et ce n'est pas si facile de trouver un bon infirmier. Et puis Père l'aime bien, c'est l'essentiel.

— Oui, c'est l'essentiel, comme tu dis. Alfred,

qu'est-ce que c'est que cette histoire de jeune personne. Quelle jeune personne ?

Son mari secoua la tête :

— Je ne vois pas. Franchement, je n'en ai pas la moindre idée.

Ils échangèrent un long regard. Puis Lydia reprit, avec une grimace expressive :

— Tu sais ce que je pense, Alfred ?

— Quoi donc ?

— Je pense que ton père s'est beaucoup ennuyé ces derniers temps. Je pense qu'il se prépare un joyeux Noël pour lui tout seul.

— En introduisant des étrangers dans une réunion de famille ?

— Oh, je ne connais pas les détails, mais j'ai le sentiment très net que ton père s'apprête à bien s'amuser.

— Tout ce que j'espère, c'est que ça lui procurera un peu de joie, dit gravement Alfred. Ce pauvre vieux, handicapé comme il l'est, cloué dans un fauteuil... Après la vie aventureuse qu'il a menée.

— Oui, la vie... aventureuse qu'il a menée, répéta lentement Lydia.

La pause qu'elle avait marquée avant l'adjectif lui conférait une signification un rien équivoque. Alfred parut le sentir. Il rougit d'un air malheureux.

Elle s'écria brusquement :

— Comment il a fait pour avoir un fils comme toi, ça, je me le demande ! Vous êtes aux antipodes l'un de l'autre. Et il te fascine... Et tu l'adores, ni plus ni moins !

— Tu ne crois pas que tu vas un peu loin ? protesta Alfred, un peu vexé. C'est normal, non, qu'un fils aime son père. C'est le contraire qui ne le serait pas.

— Dans ce cas, répliqua Lydia, la plupart des membres de cette famille sont tout ce qu'il y a d'anormaux ! Oh, et puis cessons de nous chamailler ! Excuse-moi. Je t'ai fait de la peine, je le sais. Crois-moi, je ne l'ai pas cherché. Je t'admire énormément pour ta... fidélité. La loyauté est une vertu si rare, de nos jours. Disons, si tu veux, que je suis jalouse. Les femmes sont censées être jalouses de leur belle-mère — pourquoi ne le seraient-elles pas de leur beau-père ?

Il lui entoura gentiment les épaules de son bras :

— Tu ne penses pas ce que tu dis, Lydia. Tu n'as aucune raison d'être jalouse.

Elle lui posa un petit baiser repentant sur l'oreille :

— Je sais. Mais tout de même, Alfred, je ne crois pas que j'aurais été le moins du monde jalouse de ta mère. J'aurais bien aimé la connaître.

— C'était une malheureuse, dit-il.

Sa femme lui lança un regard vif :

— C'est ainsi que tu la voyais ? Une malheureuse... C'est intéressant.

— Je me la rappelle presque toujours malade, poursuivit-il d'un air rêveur. Souvent en pleurs... Elle manquait de caractère, conclut-il en secouant la tête.

— Comme c'est étrange..., murmura Lydia sans le quitter des yeux.

Mais comme il lui lançait un regard interrogateur, elle détourna la tête et changea de sujet.

— Puisque nous ne sommes pas autorisés à connaître l'identité de nos mystérieux visiteurs, je vais aller finir mon jardin.

— Il fait très froid, ma chérie, et le vent est glacé.

— Je vais bien me couvrir.

Elle s'éclipsa. Laissé à lui-même, Alfred Lee resta quelques instants à froncer les sourcils, perdu dans ses pensées, puis il se dirigea vers la baie vitrée, au fond de la pièce. Dehors, une terrasse courait tout le long de la maison. Au bout de quelques instants, Lydia apparut, vêtue d'un gros manteau de drap, un panier plat sous le bras. Elle posa son panier et se pencha sur un bac de pierre surélevé de quelques centimètres au-dessus du sol.

Il la contempla ainsi un moment, finit par aller chercher un pardessus et une écharpe, et gagna à son tour la terrasse par une porte latérale. Il passa devant plusieurs autres bacs aménagés en jardins miniatures, tous nés des doigts agiles de Lydia.

L'un représentait une scène de désert, avec du sable blond, un petit massif de palmiers en fer-blanc peint en vert et une procession de chameaux menés par une ou deux minuscules silhouettes d'Arabes. Quelques bicoques de pisé avaient été réalisées en pâte à modeler. Plus loin, c'était un jardin italien avec des terrasses et des parterres de fleurs en cire à cacheter coloriée. Suivait un paysage arctique avec de petits morceaux de verre en guise d'icebergs et une microscopique colonie de pingouins. Puis venait un jardin japonais, avec deux ravissants bonzaïs, un miroir pour figurer l'eau et des petits ponts en pâte à modeler.

Il arriva enfin à sa hauteur et la regarda faire. Elle avait disposé un fond de papier bleu recouvert d'une plaque de verre. Autour s'empilaient des rochers. À présent, elle versait d'un sac des petits cailloux irréguliers qu'elle disposait de façon à simuler une plage. Quelques cactus nains se dressaient entre les rochers.

— Oui, c'est ça... Exactement ce que je voulais, murmura-t-elle pour elle-même.

— Et que représente ton dernier chef-d'œuvre ? demanda Alfred.

Elle sursauta, car elle ne l'avait pas entendu s'approcher.

— Ça ? Oh, c'est la mer Morte. Ça te plaît ?

— C'est un peu aride, non ? Il ne devrait pas y avoir un peu plus de végétation ?

Elle secoua la tête :

— C'est mon idée de la mer Morte. Elle *est* morte, tu vois.

— Ce n'est pas aussi joli que les autres.

— Ce n'est pas fait pour être spécialement joli.

Des bruits de pas résonnèrent sur la terrasse. Un majordome tout chenu venait vers eux :

— Mrs George Lee au téléphone, madame. Elle demande si cela vous convient que Mr George et elle arrivent demain par le train de 17 h 20.

— Oui, dites-lui que c'est parfait.

— Merci, madame.

Le majordome se hâta vers la maison. Et Lydia le suivit des yeux, tout attendrie :

— Cher vieux Tressilian. Quel homme précieux ! Je me demande ce que nous ferions sans lui.

— Il est de la vieille école, approuva Alfred. Voilà près de quarante ans qu'il est ici, et il nous est dévoué à tous.

Lydia hocha la tête :

— Oui. C'est le vieux serviteur fidèle comme on en voit dans les romans. Je suis sûre qu'il n'hésiterait jamais à mentir effrontément pour protéger quelqu'un de la famille !

— C'est vrai, ça, dit Alfred. Oui, je crois bien qu'il en serait capable.

Lydia étala ses derniers galets :

— Là, dit-elle. C'est prêt.

— Prêt ? répéta Alfred, perplexe.

Elle rit :

— Pour Noël, bêta ! Pour ce chaleureux Noël familial que nous nous apprêtons à fêter !

4

David lisait sa lettre. Il avait commencé par en faire une boulette qu'il avait jetée au loin. Puis il l'avait ramassée, défroissée, et avait entrepris de la relire.

Hilda, sa femme, le contemplait sans rien dire. Elle remarqua le muscle — ou était-ce un nerf ? — qui battait à sa tempe, le léger tremblement de ses longues mains délicates, l'agitation de son corps tout entier. Quand enfin il repoussa la mèche de cheveux blonds qui lui retombait sans arrêt sur le front et qu'il leva sur elle des yeux bleus suppliants, elle était prête.

— Hilda, que faut-il faire ?

Hilda prit son temps pour répondre. Elle avait entendu la prière dans sa voix. Elle savait à quel point il dépendait d'elle — il en avait toujours été ainsi depuis leur mariage —, à quel point son avis serait déterminant. Mais pour cette raison, précisément, elle hésitait à prononcer des mots définitifs.

Elle dit enfin, de la voix calme et apaisante d'une nounou s'adressant à un petit enfant :

— Ça dépend de ce que tu ressens, David.

Une femme forte, Hilda. Pas une beauté, mais dotée d'une sorte de magnétisme. Quelque chose qui évoquait une peinture hollandaise. Quelque chose de chaleureux, de prenant dans la voix. Quelque chose de fort — cette force vitale invisible qui attire la faiblesse. Une petite femme boulotte, entre deux âges, ni très intelligente ni très brillante, mais possédant un Dieu sait quoi qui s'imposait à vous. La force ! Hilda Lee avait de la force.

David se mit à arpenter la pièce. Aucun fil gris ne se mêlait à ses cheveux blonds. Il avait un air curieusement adolescent et un visage d'une douceur préraphaélite. D'une certaine façon, il manquait d'épaisseur, de réalité charnelle...

— Tu le sais très bien, ce que je ressens, dit-il d'une voix chagrine.

— Je n'en suis pas sûre.

— Mais je te l'ai dit... je te l'ai dit et répété cent fois ! Combien je hais tout ça — la maison, la campagne qui l'entoure et tout ! Je n'en garde que des souvenirs de malheur. J'ai détesté chaque minute que j'ai vécue là-bas ! Chaque fois que j'y pense... chaque fois que je pense à tout ce *qu'elle* y a souffert... ma mère...

Sa femme hocha la tête en signe de compassion.

— Elle était si douce, Hilda, si patiente. Étendue, souvent souffrante, mais supportant tout, endurant tout. Et quand je pense à mon père qui lui a valu toute cette misère dans sa vie, qui n'a cessé de l'humilier, de se vanter de ses bonnes fortunes, qui l'a trompée à n'en plus finir sans se donner la peine de le cacher...

— Elle n'aurait jamais dû supporter ça, dit Hilda. Elle aurait dû le quitter.

— Elle était trop bonne pour ça, répondit-il avec une pointe de reproche. Elle pensait que c'était son devoir de rester. Et puis c'était sa maison, où serait-elle allée ?

— Elle aurait pu refaire sa vie.

— Pas à cette époque-là ! Tu ne te rends pas compte ! s'irrita David. Les femmes ne se conduisaient pas comme ça. Il leur fallait s'accommoder de leur sort. Elles prenaient leur mal en patience. Et puis, il y avait nous. Que serait-il arrivé si elle avait divorcé ? Mon père se serait sans doute remarié. Il aurait pu avoir une seconde famille. Nos intérêts à nous auraient pu être lésés. Il fallait bien qu'elle pense à tout ça.

Hilda ne releva pas.

— Non, elle a choisi la bonne voie, poursuivit David. C'était une sainte ! Elle a tout supporté jusqu'à la fin... sans se plaindre.

— Elle devait quand même bien se plaindre un peu, sinon tu n'en saurais pas tant !

Le visage de David s'éclaira :

— Oui... elle me racontait des choses, murmura-t-il. Elle savait combien je l'aimais. Quand elle est morte...

Il se passa la main dans les cheveux :

— C'était atroce, Hilda ! Horrible ! La désolation ! Elle était encore jeune, elle *n'aurait pas dû* mourir. C'est *lui*, mon père, qui l'a tuée ! C'est lui qui est responsable de sa mort. Il lui a brisé le cœur. C'est à ce moment-là que j'ai décidé que je ne vivrais plus sous son toit. Je suis parti... parti loin de tout ça.

Hilda hocha la tête :

— Tu as eu raison. C'était ce qu'il fallait faire.

— Mon père voulait que j'entre dans l'affaire. Ça aurait signifié vivre à la maison. Je ne l'aurais pas supporté. Je me demande comment fait Alfred, comment il supporte ça depuis tout ce temps.

— Il ne s'est jamais révolté ? demanda Hilda avec curiosité. Tu ne m'as pas dit qu'il avait dû renoncer à une autre carrière ?

David acquiesça :

— Il devait entrer dans l'armée. Père avait tout arrangé. À Alfred, l'aîné, la carrière militaire dans un régiment de cavalerie. À Harry et moi, l'affaire familiale. À George, la politique.

— Et ça ne s'est pas passé comme ça ?

David secoua la tête :

— Harry a tout fichu par terre ! Ç'a toujours été une tête brûlée. Il s'est endetté, il s'est attiré toutes sortes d'ennuis et, pour finir, il a filé un beau jour avec plusieurs centaines de livres qui ne lui appartenaient pas, en laissant un mot où il disait qu'il n'était pas fait pour rester assis derrière un bureau et qu'il s'en allait courir le monde.

— Sur quoi vous n'avez plus jamais entendu parler de lui ?

— Oh, que si ! s'exclama David en se mettant à rire. Et souvent, même ! Il n'a jamais cessé d'expédier des câbles des quatre coins de la planète pour réclamer de l'argent. Et il l'a généralement obtenu !

— Et Alfred ?

— Père l'a forcé à abandonner l'armée et l'a fait revenir pour reprendre l'affaire.

— Comment a-t-il vécu ça ?

— Très mal, au début. Il exécrait son nouveau métier. Mais Père l'avait toujours mené par le bout du nez. Et je crois d'ailleurs que ça n'a pas changé.

— Quant à toi... tu as pris la fuite ! dit Hilda.

— Oui. Je suis parti étudier la peinture à Londres. Père m'a dit tout net que si j'avais l'intention de perdre mon temps comme ça, il me servirait une petite rente tant qu'il vivrait, mais que je n'aurais rien à sa mort. Je lui ai répondu que je m'en fichais. Il m'a traité d'imbécile, point final ! Je ne l'ai plus jamais revu.

— Et tu ne l'as jamais regretté ? demanda Hilda avec douceur.

— Je te garantis bien que non. Je sais parfaitement que je n'irai pas bien loin avec ma peinture. Je ne serai jamais un grand artiste. Mais nous sommes heureux, dans ce cottage. Nous avons tout ce qu'il nous faut. L'essentiel en tout cas. Et si je meurs, tu auras mon assurance-vie.

Il s'interrompit avant d'ajouter, en frappant la lettre du plat de la main :

— Et maintenant... *ça* !

— Si ça doit te bouleverser à ce point, je regrette que ton père t'ait écrit cette lettre !

— Il me demande d'amener ma femme, poursuivit David comme s'il ne l'avait pas entendue. Il exprime le vœu que nous nous retrouvions tous ensemble pour Noël. Une famille unie ! Qu'est-ce que ça peut bien vouloir dire ?

— Est-ce que ça doit forcément vouloir dire autre chose que ce que ça dit ? demanda Hilda.

David la regarda sans comprendre.

— Je veux dire par là que ton père vieillit, expliqua-t-elle en souriant. Il éprouve le besoin de resserrer les liens. Ce sont des choses qui arrivent, tu sais.

— Peut-être bien, dit lentement David.

— C'est un vieil homme et il se sent seul.

Il lui lança un rapide coup d'œil :

— Tu veux que j'y aille, Hilda, c'est ça ?

— Ne pas saisir une main tendue..., cela paraît désolant, murmura-t-elle. Je suis sans doute vieux-jeu, mais Noël n'est-il pas le moment ou jamais de faire la paix ?

— Après tout ce que je t'ai dit ?

— Je sais, mon chéri, je sais. Mais tout cela, c'est du *passé*. C'est ter-mi-né.

— Pas pour moi.

— Parce que *tu ne veux pas laisser mourir le passé*. Tu préfères l'entretenir dans ta mémoire.

— Je ne peux pas oublier.

— Tu ne *veux* pas oublier. C'est ça, le fond du problème.

Il serra les mâchoires, la bouche durcie :

— Nous sommes comme ça, dans la famille. Nous n'oublions rien, nous ruminons le passé, nous avons la mémoire longue.

— Y a-t-il vraiment de quoi s'en glorifier ? repartit Hilda avec une pointe d'impatience. Je ne suis pas de cet avis !

Il la contempla d'un air songeur, presque distant :

— Alors, pour toi, la loyauté, la fidélité à un souvenir, ça n'a aucune valeur ?

— J'estime que c'est le *présent* qui importe, pas le passé ! Le passé doit s'effacer. En cherchant à le maintenir vivant, je crois qu'on finit par le *déformer.* On le voit dans une perspective faussée, on en grossit les détails.

— Je me souviens parfaitement de chaque mot, de chaque événement de ce temps-là ! dit David avec passion.

— Oui, mais tu ne *devrais* pas, mon chéri ! Ce n'est pas normal ! Au lieu d'avoir le recul d'un homme, tu regardes cette époque avec les yeux d'un petit garçon.

— Qu'est-ce que ça changerait ? fit David.

Hilda hésita. Elle avait conscience qu'il aurait mieux valu s'arrêter là, mais il y avait des choses qu'elle brûlait de dire.

— Je pense, reprit-elle, que tu vois ton père comme un *croquemitaine* ! Il est probable que si tu le voyais maintenant, tu comprendrais qu'il n'est au fond qu'un homme très ordinaire — un homme dominé par ses passions, sans doute, un homme dont la vie a toujours été loin d'être irréprochable, mais enfin un *homme,* tout bonnement, pas une espèce de monstre sans entrailles !

— Tu ne comprends pas ! La façon dont il a traité ma mère...

— Il existe une certaine sorte d'humilité, de soumission, qui suscite le pire chez un homme, répondit gravement Hilda. Alors que le même homme pourrait se révéler très différent s'il trouvait face à lui un peu de cran et de détermination.

— En somme, d'après toi, ce serait de sa faute à elle...

— Non, bien sûr que non ! Je ne doute pas que ton père ait très mal traité ta mère, mais un couple, c'est une entité mystérieuse, et je ne pense pas qu'une personne extérieure — fût-elle le propre enfant de ce couple — soit en droit de le juger. De toute façon, ce ressentiment en toi n'est d'aucune utilité pour ta mère. Tout cela est *fini*, tout cela est derrière toi ! Ce qui reste aujourd'hui, c'est un vieil homme en mauvaise santé qui demande à son fils de venir le voir pour Noël !

— Et tu veux que j'y aille ?

Hilda hésita, puis elle se décida d'un seul coup.

— Oui, dit-elle. Je veux que tu y ailles et que tu terrasses le monstre une bonne fois pour toutes.

5

Quarante et un ans, député de Westeringham, George Lee était un individu plutôt corpulent. Ses yeux d'un bleu très pâle, légèrement proéminents, posaient sur le monde un regard soupçonneux. Il avait la mâchoire lourde et s'exprimait avec lenteur, d'un ton pédant.

Il était en train d'énoncer en détaillant chaque mot :

— Je t'ai dit et répété, Magdalene, que j'estime qu'il est de mon devoir d'y aller.

Sa femme haussa les épaules avec impatience.

C'était une créature élancée, une blonde platinée aux sourcils épilés et au visage lisse. En certaines circonstances, ce visage avait la capacité de n'exprimer rigoureusement rien, et c'est cette totale vacuité qu'il affichait à ce moment précis.

— Chéri, dit-elle, ça va être parfaitement lugubre, j'en suis sûre.

— En outre, poursuivit George Lee — et ses traits s'éclairèrent à cette agréable perspective —, cela va nous permettre de faire de sérieuses économies. Noël est toujours une période de dépenses. Nous allons pouvoir économiser sur les gages des domestiques.

— Oh, et puis de toute façon, s'exclama Magdalene, Noël est toujours lugubre où qu'on soit !

— J'imagine, dit George, poursuivant son idée, qu'ils s'attendent à un réveillon fastueux ! Une belle pièce de bœuf peut-être, à défaut d'une dinde...

— Qui ? Les domestiques ? Oh, George, arrête avec ça. Tu passes ta vie à parler d'argent.

— Il faut bien que quelqu'un s'en inquiète, dit George.

— Peut-être. Mais économiser des bouts de chandelles n'a jamais servi à rien. Pourquoi n'obtiens-tu pas de ton père qu'il te donne plus d'argent ?

— Il me sert déjà une assez jolie rente.

— C'est affreux de dépendre de lui comme ça ! Il aurait dû te faire une donation et qu'on n'en parle plus.

— Ça ne lui ressemblerait pas.

Magdalene le regarda. Ses yeux noisette se firent soudain durs et perçants. Le visage lisse, sans expression, montrait à présent de l'intérêt :

— Il est atrocement riche, n'est-ce pas, George ? Il est plus ou moins millionnaire, non ?

— Plus de deux fois millionnaire, je crois.

Magdalene eut un soupir de convoitise :

— Comment a-t-il fait pour amasser tout ça ? L'Afrique du Sud, non ?

— Oui, il a fait fortune là-bas, quand il était jeune. Dans les diamants, une majeure partie.

— Comme c'est excitant !

— Et puis il est venu en Angleterre où il s'est lancé dans les affaires, et il a dû doubler ou tripler son capital.

— Qu'est-ce qui va se passer à sa mort ?

— Père n'a jamais dit grand-chose là-dessus, et ce n'est évidemment pas une question facile à poser. J'imagine que l'essentiel ira à Alfred et moi. Alfred aura la plus grosse part, bien entendu.

— Mais tu as d'autres frères, non ?

— Oui, il y a mon frère David. Mais je ne pense pas que *lui* ait grand-chose. Il a quitté la maison pour faire de la peinture ou je ne sais quelle ânerie dans ce goût-là. Je crois que Père l'a prévenu qu'il le déshériterait et que David a répondu qu'il s'en fichait.

— Quel idiot ! dit Magdalene avec dédain.

— Il y avait aussi ma sœur Jennifer. Elle est partie avec un étranger — un artiste espagnol, un ami de David. Mais elle est morte il y a un an. Elle avait une fille, je crois bien. Père lui laissera peut-être quelques sous, mais pas des tas. Et puis, bien sûr, il y a Harry...

Il s'arrêta, légèrement embarrassé.

— Harry ? s'étonna Magdalene. Qui est Harry ?

— Eh bien... euh..., mon frère.

— Je ne savais pas que tu avais un autre frère.

— Ma chère, ce n'est pas un grand... hum !... sujet de fierté pour nous. Nous n'en parlons jamais. Il s'est conduit de façon scandaleuse. Nous n'avons pas entendu parler de lui depuis des années. Il est sans doute mort.

Magdalene éclata soudain de rire.

— Qu'y a-t-il ? Qu'est-ce qui te fait rire ?

— Rien. Je me disais que c'était tordant que toi — *toi*, George, tu aies un frère de mauvaise réputation ! Tu es tellement respectable.

— Je l'espère bien, dit George, très froid.

Magdalene plissa les paupières :

— Ton père, lui, ne l'est pas... très.

— Voyons, Magdalene !

— Il dit parfois des choses qui me mettent franchement mal à l'aise.

— Vraiment, Magdalene, tu m'étonnes. Est-ce que... hum !... Lydia pense comme toi ?

— C'est un genre de choses qu'il ne dit pas à Lydia, grinça Magdalene en se mettant en colère. *Non*, il ne lui parle jamais comme ça, à *elle*. Je me demande d'ailleurs bien pourquoi.

George lui lança un regard furtif, puis détourna les yeux.

— Bah ! dit-il vaguement. Il a des excuses. À son âge... et avec sa mauvaise santé...

— Il est vraiment... très malade ?

— Je n'irai pas jusque-là. Il est incroyablement résistant. Enfin, quoi qu'il en soit, puisqu'il veut avoir sa famille auprès de lui pour Noël, je pense que nous avons de bonnes raisons d'y aller. C'est peut-être son dernier Noël.

— Ça, c'est toi qui le dis ! s'emporta encore Magdalene. Mais il peut encore vivre des années, non ?

— Oui, oui, bien sûr, c'est possible, balbutia son mari, légèrement interloqué.

— Oh, bon, fit Magdalene, résignée. Après tout, ce n'est peut-être pas plus mal d'y aller.

— Je n'en doute pas un instant.

— Mais moi, j'en suis malade ! Alfred est tellement rasoir, et puis Lydia me snobe.

— Quelle bêtise !

— Elle me snobe, je te dis ! Et je déteste ce domestique odieux.

— Le vieux Tressilian ?

— Non, Horbury. Toujours à fouiner partout et à faire des simagrées.

— Vraiment, je ne comprends pas que Horbury te fasse un tel effet !

— Il me porte sur les nerfs, un point c'est tout. Mais n'y pensons plus. Il faut y aller, j'ai compris. Ça ne servirait à rien d'offenser le vieux.

— Non, non, précisément. Pour en revenir au réveillon des domestiques...

— Pas maintenant, George, une autre fois. Je vais appeler Lydia pour lui dire que nous arriverons demain par le 17 h 20.

Magdalene quitta la pièce en coup de vent. Après avoir téléphoné, elle monta dans sa chambre et s'assit à son secrétaire. Elle ouvrit l'abattant et fourragea dans les divers casiers. Des cascades de factures en jaillirent. Elle les tria, s'efforça d'y mettre un semblant d'ordre. En fin de compte, avec un soupir d'exaspération, elle les remit en vrac dans les casiers d'où elles étaient sorties et passa la main dans ses cheveux platine.

— Qu'est-ce que je vais bien pouvoir faire ? gémit-elle.

6

Au premier étage de Gorston Hall, un long corridor menait à une vaste chambre qui donnait sur l'allée principale. C'était une pièce dans ce que le néo-gothique peut avoir de plus flamboyant : papier mural gaufré, fauteuils de cuir repoussé, immenses vases ornés de dragons crachant des flammes, statues de bronze patinées par les ans. Tout y était somptueux, tout y avait coûté les yeux de la tête, tout y était bâti pour l'éternité.

Dans un grand fauteuil à oreillettes, le plus profond et le plus imposant de tous ceux que comptait la pièce, se perdait la mince silhouette parcheminée d'un vieillard. Ses longues mains semblables aux serres d'un oiseau reposaient sur les accoudoirs. Une canne à pommeau d'or était posée à son côté. Il portait une vieille robe de chambre bleue plutôt râpée. Il avait des pantoufles aux pieds. Sa chevelure était blanche — et jaune la peau de son visage.

Une pauvre vieille loque insignifiante, aurait-on pu croire au premier regard. Mais le nez aquilin et fier, et les yeux noirs, brûlant d'une vie intense, auraient bientôt contraint l'observateur à changer d'opinion. Il y avait là du feu, de la vigueur et de la vie.

Le vieux Simeon Lee émit un gloussement — un brusque gloussement de plaisir :

— Vous avez transmis mon message à Mrs Alfred, hein ?

Horbury se tenait debout près du fauteuil.

— Oui, monsieur, répondit-il de sa voix douce et déférente.

— Exactement dans les termes que je vous ai dits ? Exactement, hein ?

— Oui, monsieur. Je n'y ai pas changé un mot, monsieur.

— C'est vrai, vous ne commettez jamais d'erreur. Et vous faites aussi bien, d'ailleurs, vous le regretteriez ! Et qu'a-t-elle dit, Horbury ? Et qu'a dit Mr Alfred ?

Impassible, Horbury rapporta la scène. Le vieil homme gloussa de nouveau et se frotta les mains :

— Magnifique ! Impeccable ! Ils ont dû passer l'après-midi à se creuser la tête ! Magnifique ! Je veux les voir à présent. Allez les chercher.

— Oui, monsieur.

Horbury traversa la pièce sans un bruit et sortit.

— Et puis, Horbury...

Le vieillard regarda autour de lui, puis poussa un juron :

— Ce type se déplace comme un chat. On ne sait jamais où il est.

Il demeura sans bouger dans son fauteuil, à se caresser le menton du doigt, jusqu'à ce qu'on frappe à la porte. Alfred et Lydia entrèrent.

— Ah ! vous voilà, vous voilà. Asseyez-vous ici près de moi, ma chère Lydia. Vous avez de belles couleurs !

— Je suis sortie dans le froid. Les joues vous brûlent, après.

— Comment vas-tu, Père ? s'enquit Alfred. Tu t'es bien reposé cet après-midi ?

— Impeccable, impeccable. Rêve d'autrefois ! Avant que je me range et que je devienne un pilier de la bonne société.

Il laissa fuser un petit rire.

Sa belle-fille s'assit en silence, et attendit avec un sourire poli.

— Père, qu'est-ce que c'est que cette histoire d'invités supplémentaires pour Noël ?

— Ah, ça ! C'est vrai, il faut que je vous en parle. Ça va être un fameux Noël pour moi cette année — un fameux Noël. Voyons voir, George vient avec Magdalene...

— Oui, intervint Lydia, ils arrivent demain par le train de 17 h 20.

— Un crétin, George ! dit le vieux Simcon. Une baudruche ! Mais enfin, c'est mon fils.

— Ses administrés l'apprécient, dit Alfred.

Simeon gloussa.

— Ils le croient sans doute honnête. Honnête ! Un Lee honnête, ça ne s'est encore jamais vu.

— Oh, voyons, Père !

— Sauf toi, mon garçon. Sauf toi, bien sûr.

— Et David ? demanda Lydia.

— Hum, David... Je suis curieux de voir ce qu'il est devenu, après toutes ces années. C'était un gamin pleurnicheur. Je me demande à quoi ressemble sa femme. En tout cas, il n'a pas épousé une fille de vingt ans de moins que lui, comme cet imbécile de George !

— Hilda a écrit une lettre très gentille, dit Lydia. Et je viens de recevoir un télégramme d'elle pour confirmer leur arrivée demain.

Son beau-père la transperça du regard. Puis il se mit à rire.

— Je n'arriverai jamais à faire sortir Lydia de ses gonds, dit-il. On peut porter ça à votre crédit, Lydia, vous avez de la race. La race ne ment pas, ça, je le sais. Une drôle de chose, quand même, l'hérédité. Il n'y en a qu'un seul qui tienne de moi, un seul sur toute la portée.

Ses yeux pétillèrent :

— Et maintenant, devinez qui vient pour Noël. Je vous donne trois chances, et je vous parie cinq livres que vous ne trouverez pas.

Ses yeux allaient de l'un à l'autre. Alfred, perplexe, fronça les sourcils :

— Horbury a dit que tu attendais une « jeune personne ».

— Et ça t'a intrigué, je vois ça. Oui, Pilar devrait arriver d'une minute à l'autre. J'ai donné des ordres pour qu'on aille la chercher en voiture à la gare.

— *Pilar* ? dit vivement Alfred.

— Pilar Estravados, répliqua Simeon. La fille de Jennifer. Ma petite-fille. J'ai hâte de la voir.

— Bon sang, Père ! s'écria Alfred. Tu ne m'avais jamais dit...

— Non, j'ai voulu que ce soit mon secret ! ricana le vieillard. Je suis passé par Charlton pour tout régler.

— Tu ne m'avais jamais dit..., répéta Alfred d'un ton blessé et chargé de reproches.

Son père eut un sourire narquois :

— Ça n'aurait plus été une surprise ! Je me demande quel effet ça va faire d'avoir de nouveau du sang jeune dans cette maison. Je n'ai jamais vu Estravados. Je me demande de qui tient la fille : de son père ou de sa mère ?

— Père, crois-tu vraiment que ce soit très sage..., commença Alfred. Tout bien considéré...

Le vieillard l'interrompit :

— Prudence, prudence ! Tu n'as que ce mot-là à la bouche, Alfred ! Tu as toujours été comme ça. Eh bien, pas moi ! Fais ce que tu as envie de faire, et le reste on s'en fout ! Voilà ce que je dis ! Cette fille est ma petite-fille, le seul petit-enfant de toute la famille. Je me fiche de savoir qui était son père et ce qu'il a pu fabriquer ! Elle est la chair de ma chair et le sang de mon sang ! Et elle va venir vivre ici, chez moi.

— Elle vient *vivre* ici ? demanda Lydia, cassante.

Il lui décocha un regard acéré :

— Vous y voyez une objection ?

Elle secoua la tête en souriant :

— Comment m'opposerais-je à ce que vous invitiez quelqu'un sous votre propre toit ? Non, je me posais la question... pour elle.

— Que voulez-vous dire, pour elle ?

— Je me demandais si elle serait heureuse ici.

Le vieux Simeon rejeta la tête en arrière.

— Elle n'a pas un sou vaillant ! Elle devrait m'en être reconnaissante !

Lydia haussa les épaules tandis que Simeon se tournait vers Alfred :

— Tu vois ? Ça va être un Noël splendide ! Tous mes enfants auprès de moi. *Tous* mes enfants ! Allons, Alfred, je t'ai donné un indice. Maintenant, devine qui est l'autre invité.

Alfred le regarda sans oser comprendre.

— Tous mes enfants ! Devine, mon garçon ! *Harry*, bien sûr ! Ton frère Harry !

Alfred avait blêmi.

— Harry..., balbutia-t-il. Quand même pas Harry...

— Harry en personne.

— Mais nous pensions qu'il était mort !

— Pas lui !

— Tu... tu le reçois ici ? Après tout ce qui s'est passé ?

— Le fils prodigue, hein ? C'est bien ça. Le veau gras ! Nous devons tuer le veau gras, Alfred. Nous devons lui faire un accueil du feu de Dieu.

— Mais il s'est conduit de façon ignoble envers toi, et envers nous tous... Il...

— Inutile d'énumérer ses crimes ! La liste est longue. Mais, à Noël, on pardonne les offenses, n'est-il pas vrai ? Nous allons accueillir le fils prodigue à bras ouverts.

Alfred se leva :

— C'est... c'est pour moi un choc. Je n'aurais

jamais imaginé que Harry repasserait un jour cette porte.

Simeon se pencha vers lui.

— Tu n'as jamais aimé Harry, n'est-ce pas ? dit-il doucement.

— Après la façon dont il s'est conduit envers toi...

— Bof ! le passé est le passé, gloussa Simeon. C'est l'esprit de Noël, n'est-ce pas, Lydia ?

Lydia avait pâli, elle aussi.

— Je vois que vous avez beaucoup songé à Noël, cette année, dit-elle d'une voix mordante.

— Je veux avoir ma famille auprès de moi. Qu'on fasse la paix et qu'on se réjouisse ! Je suis un vieil homme. Tu t'en vas, mon garçon ?

Alfred se retirait en hâte. Lydia s'apprêtait à le suivre.

Simeon eut un signe de tête en direction de la silhouette qui s'éloignait :

— Ça l'a bouleversé. Harry et lui ne se sont jamais entendus. Harry se moquait d'Alfred. Il l'appelait « Ranplan-plan ».

Lydia ouvrit la bouche. Elle allait parler, mais, en voyant l'expression avide du vieillard, elle se retint. Il fut fort dépité de sa maîtrise, et elle, toute rassérénée de le constater.

— Le lièvre et la tortue, dit-elle. Bah, c'est la tortue qui gagne.

— Pas à tous les coups, dit Simeon. Pas à tous les coups, ma chère Lydia.

— Excusez-moi, dit-elle toujours souriante, mais je dois rejoindre Alfred. Il supporte mal les émotions soudaines.

— Oui, gloussa Simeon, Alfred n'aime pas le changement. Ç'a toujours été le type même du pantouflard.

— Alfred vous est très dévoué, dit Lydia.

— Cela vous paraît bizarre, n'est-ce pas ?

— Oui, répondit-elle, parfois.

Simeon la regarda sortir de la pièce en ricanant doucement.

— Ça ne fait que commencer, on va bien s'amuser, murmura-t-il en se frottant les mains. Je sens que ce Noël va me plaire.

Il se dressa sur ses pieds avec effort et, appuyé sur sa canne, traversa péniblement la pièce.

Il se dirigea vers un gros coffre qui se dressait dans un coin de la chambre. Il composa la combinaison et tourna la poignée. La porte s'ouvrit, et il glissa à l'intérieur une main tremblante.

— Eh bien, mes tout beaux, vous êtes toujours là... Toujours les mêmes... toujours mes vieux amis... Ah, c'était le bon temps ! Oui, le bon temps... Vous ne serez jamais taillés, mes amis. *Vous*, vous n'irez pas orner le cou des femmes, ni leurs doigts, ni leurs oreilles. Vous êtes à *moi* ! Nous en savons, des choses, vous et moi. Je suis vieux, d'après eux, vieux et malade. Mais je ne suis pas encore fini ! Elle est encore bien vivante, la vieille carne. Et elle peut encore se payer quelques bons moments. Oh oui, quelques bons moments...

DEUXIÈME PARTIE

23 DÉCEMBRE

1

Tressilian se hâtait tant bien que mal vers la porte d'entrée. La sonnette avait carillonné avec une agressivité inhabituelle, et il n'avait pas encore parcouru toute la longueur du hall qu'elle venait de retentir de nouveau.

Tressilian rougit d'indignation. En voilà des manières de s'annoncer chez des gens comme il faut ! Si c'était encore une de ces bandes de chanteurs de noëls, il allait leur dire sa façon de penser.

À travers la vitre dépolie du panneau supérieur de la porte, il distingua une silhouette — un homme de haute taille, coiffé d'un chapeau mou à larges bords. Il ouvrit. C'était bien ce qu'il pensait : un étranger bruyant, voyant, vulgaire — la coupe de ce complet-veston tape-à-l'œil ! Encore un de ces démarcheurs sans vergogne !

— Ma parole, mais c'est ce bon Tressilian ! clama l'étranger. Ça boume toujours, Tressilian ?

Tressilian écarquilla les yeux, ouvrit la bouche, le regarda encore à deux fois. Cette mâchoire forte à la ligne arrogante, ce nez aquilin, ce regard rigolard... Oui, il connaissait ce visage, il l'avait vu ici des années auparavant. En moins flambant, à l'époque.

— Mr Harry ! dit-il dans un souffle.

Harry Lee partit d'un gros éclat de rire :

— On dirait que ça vous flanque un coup. Pourquoi ça ? Je ne suis pas attendu ?

— Si, monsieur. Bien sûr, monsieur.

— Alors, pourquoi le numéro de la surprise ?

Harry recula de quelques pas pour contempler la maison — grosse masse de brique rouge sans caractère, mais faite pour défier le temps.

— Toujours la même vieille baraque ! éructa-t-il. Mais enfin elle est restée debout, c'est l'essentiel. Comment va mon père, Tressilian ?

— Il n'est plus très valide, monsieur. Il garde la chambre et ne se déplace qu'avec difficulté. Malgré cela, il se porte étonnamment bien.

— Le vieux sacripant !

Harry entra, laissa Tressilian lui ôter son écharpe et prendre son chapeau de matamore.

— Et mon cher frère Alfred, Tressilian ?

— Il se porte à merveille, monsieur.

Harry eut un large sourire :

— Impatient de me voir, hein ?

— Je le crois, monsieur.

— Eh bien, pas moi ! Je parie qu'il prend ça de travers, ma réapparition ! Alfred et moi, on ne s'est jamais entendus. Ça vous arrive de lire votre bible, Tressilian ?

— Oh, oui, monsieur. Parfois, monsieur.

— Vous vous rappelez le retour du fils prodigue ? Ça ne plaisait pas au bon frère, vous vous souvenez ? Mais alors pas du tout ! Et je parie que ça ne plaît pas du tout non plus à ce bon vieil Alfred.

Tressilian demeura silencieux, les yeux baissés, protestant de tout son corps raidi. Harry lui tapa sur l'épaule.

— Allons-y, ma vieille ! Le veau gras m'attend ! Menez-moi droit vers lui !

— Si vous voulez bien me suivre au salon, monsieur, murmura Tressilian. Je ne sais pas au juste où ils sont... Ils ignoraient l'heure de votre arrivée, monsieur, c'est pourquoi ils n'ont pas envoyé la voiture.

Harry hocha la tête. Il suivit Tressilian dans le hall en regardant de tous côtés.

— Toute la vieille antiquaille est en place, à ce que je vois. Je crois bien que rien n'a changé depuis vingt ans que je suis parti.

— Je vais voir si je peux trouver Mr ou Mrs Alfred, murmura Tressilian en ouvrant la porte du salon — et il se retira en hâte.

Harry Lee fit quelques pas dans la pièce, puis s'arrêta net, en découvrant la personne qui était assise sur le rebord d'une fenêtre. Ses yeux détaillaient sans y croire les cheveux noirs, la pâleur veloutée de l'apparition.

— Doux Jésus ! s'exclama-t-il. Sericz-vous la septième et plus belle femme de mon père ?

Pilar glissa de son perchoir et s'avança vers lui.

— Je suis Pilar Estravados, annonça-t-elle. Et vous devez être mon oncle Harry, le frère de ma mère.

— Alors, c'est ça que vous êtes ! dit Harry d'un air stupéfait. La fille de Jenny !

— Pourquoi m'avez-vous demandé si j'étais la septième femme de votre père ? répondit Pilar. Il a vraiment eu six femmes ?

Harry hurla de rire :

— Non, je crois qu'il n'en a eu officiellement qu'une. Eh bien, Pil... euh... c'est comment, au juste, votre nom ?

— Pilar.

— Eh bien, Pilar, ça m'en bouche un coin de voir une aussi jolie fleur s'épanouir dans ce mausolée.

— Ce maus... pardon ?

— Ce musée de vieilleries empaillées ! J'ai toujours trouvé que ce gourbi était une horreur ! Mais il est encore plus moche que dans mon souvenir !

— Oh, non, c'est superbe, ici ! dit Pilar d'une voix choquée. Les meubles sont superbes, et les tapis... je n'en ai jamais vu d'aussi épais, et il y en a partout — et puis il y a plein d'objets. Tout est de très bonne qualité, et tout fait très très riche !

— Là, vous n'avez pas tort, dit Harry avec un grand sourire. (Il la contempla d'un air amusé.) Vous savez, ça me fait vraiment quelque chose de vous voir au milieu de...

Il s'interrompit : Lydia avait fait irruption dans la pièce. Et elle venait droit vers lui.

— Comment allez-vous, Harry ? Je suis Lydia, la femme d'Alfred.

— Bonjour, Lydia.

Il lui serra la main, enveloppant son visage mobile et intelligent d'un rapide coup d'œil et appréciant mentalement sa façon de marcher. Si peu de femmes savent bouger.

Lydia, de son côté, s'était vite fait une opinion : « Il a tout de la parfaite crapule. Mais, dans son genre, il ne manque pas de séduction. Pourtant, je ne me fierais pas à lui une seconde... »

Elle lui sourit :

— Alors, à quoi ça ressemble après tant d'années ? Très changé, ou tout ce qu'il y a d'immuable ?

— Ma foi, tout ce qu'il y a d'immuable. (Il regarda autour de lui.) Mais cette pièce a été refaite.

— Oh, des tas de fois.

— Je veux dire refaite par vous. Vous l'avez rendue... différente.

— Oui, je l'espère.

Il la gratifia d'un brusque sourire, un sourire goguenard qui la fit tressaillir tant il rappelait le vieil homme, en haut.

— Ça a plus de classe, maintenant ! Je me suis laissé dire que ce vieil Alfred avait épousé une fille dont les aïeux avaient débarqué avec Guillaume le Conquérant.

— Eh oui, dit Lydia en souriant. Mais ils ont perdu quelques plumes depuis.

— Comment va ce vieil Alfred ? reprit Harry. Toujours aussi pantouflard ?

— Je ne sais pas du tout si vous le trouverez changé.

— Et comment vont les autres ? Dispersés aux quatre coins de l'Angleterre ?

— Non. Ils viennent tous ici pour Noël, vous savez.

Harry parut ébahi :

— Un vrai Noël familial, alors ? Qu'est-ce qui lui prend, au vieux ? Il ne donnait pas tellement dans le sentiment, autrefois ! Je ne me souviens pas de lui se souciant de sa famille ! Il doit avoir rudement changé !

— Peut-être, dit Lydia d'un ton sec.

Pilar ouvrait de grands yeux captivés.

— Et ce vieux George ? Toujours aussi rapiat ? Il criait comme un putois chaque fois qu'il devait lâcher un centime de son argent de poche !

— George est membre du Parlement, dit Lydia. Il est député de Westeringham.

— Quoi ? Boules de Loto au Parlement ? Seigneur, c'est la meilleure !

Harry rejeta la tête en arrière pour rire à son aise. Un rire énorme, barbare — on aurait dit qu'il allait tout fracasser dans la pièce. Pilar arrêta de respirer. Lydia eut un léger tressaillement.

Puis, Harry cessa de rire aussi brusquement qu'il avait commencé et se retourna d'un coup. Il n'avait entendu personne entrer, mais Alfred se tenait là, très calme, et regardait son frère avec une expression bizarre.

Harry demeura un instant immobile, puis un sourire lui vint lentement aux lèvres. Il fit un pas :

— Ma parole... mais c'est Alfred !

Alfred hocha la tête :

— Bonjour, Harry.

Ils restèrent là, se défiant du regard. Lydia retint son souffle.

« Comme c'est grotesque ! pensa-t-elle. On dirait deux chiens... en train de se mesurer... »

Quant à Pilar, les yeux exorbités, elle se disait :

« Ce qu'ils ont l'air bête, à rester plantés comme ça l'un devant l'autre... Pourquoi est-ce qu'ils ne s'embrassent pas ? Non, bien sûr, les Anglais ne font pas ça. Mais ils pourraient au moins *dire* quelque chose. Pourquoi est-ce qu'ils ne font rien que se regarder dans le blanc des yeux ? »

— Eh bien, finit par articuler Harry, ça fait drôle de se retrouver ici !

— Je m'en doute. Il y a pas mal de temps que tu... que tu es parti.

Harry redressa la tête. Il passa un doigt le long de sa mâchoire en un geste familier qui annonçait la bagarre.

— Oui, dit-il, je suis content d'être de retour... (il suspendit la fin de sa phrase comme pour lui donner plus de force) *au bercail...*

2

— Je crois bien que j'ai été un très mauvais sujet, dit Simeon Lee.

Bien calé dans son fauteuil, le menton relevé, il promenait pensivement un doigt sur sa mâchoire. Devant lui, dansaient les flammes claires d'un grand feu. Pilar était assise à ses pieds, un petit écran de papier mâché à la main dont elle se protégeait le visage. De temps à autre, elle s'éventait avec, d'un geste souple du poignet. Simeon la regarda avec satisfaction.

Il continua de parler, plus à lui-même sans doute qu'à la jeune fille, mais stimulé par sa présence silencieuse.

— Oui, dit-il, j'ai été un sale type. Que dis-tu de cela, Pilar ?

Pilar haussa les épaules :

— Tous les hommes sont mauvais. C'est ce que disent les bonnes sœurs. C'est pour ça qu'il faut prier pour eux.

— Ah, mais j'ai été plus mauvais que la plupart ! (Simeon rit.) Je ne le regrette pas, tu sais. Non, je ne regrette rien du tout. Je me suis bien amusé... J'ai profité de chaque minute. Il paraît qu'on se repent dans sa vieillesse. C'est de la blague. Je ne me repens pas. Et comme je te le disais, j'ai tout fait... Tous les

bons vieux péchés ! J'ai triché, j'ai volé, j'ai menti...
Seigneur oui ! Et les femmes... toujours les femmes !
Quelqu'un m'a parlé l'autre jour d'un cheik arabe qui
avait une garde personnelle composée de quarante
de ses fils — tous presque du même âge ! Ah ah,
quarante ! Je ne sais pas trop pour quarante, mais je
suis bien sûr que je pourrais produire une belle garde
moi aussi pour peu que j'aille chercher tous mes
mouflets ! Alors, Pilar, que penses-tu de ça ? Choquée ?

Pilar le regarda sans ciller :

— Non, pourquoi serais-je choquée ? Les hommes
désirent les femmes. Mon père comme les autres.
C'est pour ça que les femmes sont si souvent malheu-
reuses et qu'elles vont prier à l'église.

Le vieux Simeon fronça les sourcils.

— J'ai rendu Adélaïde malheureuse..., dit-il tout
bas, comme pour lui-même. Seigneur, quelle
femme ! Blanche et rose et jolie comme un cœur
quand je l'ai épousée. Et après ? Toujours à pleurni-
cher. Ça réveille le démon chez un homme, une
femme qui pleure sans arrêt. Elle n'avait pas de
caractère, c'était ça le malheur avec Adélaïde. Si seulement elle m'avait tenu tête ! Mais elle ne l'a jamais
fait, pas une fois. Quand je me suis marié, je croyais
dur comme fer que j'allais me ranger, élever une
famille, rompre avec le passé...

Sa voix s'éteignit. Il contempla pensivement le feu
rougeoyant :

— Élever une famille... Quelle famille, Seigneur !
(Il laissa fuser un petit rire irrité.) Regarde-les, non
mais regarde-les ! À eux tous, ils n'ont pas été fichus
de faire un seul enfant pour me continuer ! Qu'est-ce
qui ne va pas, chez eux ? Ils n'ont donc pas une seule
goutte de mon sang dans les veines ? Pas un garçon à
eux tous, même illégitime. Alfred, par exemple : le
ciel me pardonne, ce qu'il est assommant, avec ses
yeux de chien fidèle ! Prêt à m'obéir au doigt et à

l'œil... Bon sang, quelle andouille ! Sa femme, Lydia, c'est autre chose. Elle me plaît. Elle a de la branche, elle ! Mais elle ne m'aime pas. Non, elle ne m'aime pas. Mais elle est bien obligée de me supporter, à cause de ce cornichon d'Alfred... Pilar, souviens-toi de ça : il n'y a rien de plus ennuyeux que la dévotion !

La jeune fille lui sourit. Il poursuivit, réchauffé par sa jeunesse et sa troublante féminité :

— Et George ? C'est quoi, George ? Un faux poids ! Un crétin satisfait ! Une enflure pompeuse, sans tripes ni cervelle — et avec ça, radin comme ça n'est pas permis ! David ? David a toujours été un imbécile, un imbécile et un songe-creux. Le petit garçon à sa maman, voilà David ! La seule chose sensée qu'il ait jamais faite, ç'a été d'épouser cette femme solide et bien en chair. (Il frappa le bras de son fauteuil.) Harry est encore le meilleur de tous ! Pauvre vieil Harry, la brebis galeuse ! Mais lui, au moins, il est *vivant* !

— Oui, approuva Pilar, il est bien. Il rit, il rit très fort, en renversant la tête. Je l'aime beaucoup.

Le vieillard la regarda :

— Tu l'aimes bien, hein, Pilar ? Harry a toujours su s'y prendre avec les filles. Il tient de moi pour ça. (Il se mit à rire, un petit rire hoquetant.) J'ai eu une bonne vie. Une très bonne vie. J'ai eu tout ce qu'on peut vouloir.

— En Espagne, dit Pilar, on a un proverbe qui dit : « Prends ce qui te plaît, paies-en le prix et Dieu sera content. »

Simeon frappa le bras de son fauteuil en signe d'approbation :

— C'est bien. C'est ça. Prends ce qui te plaît... C'est ce que j'ai fait, toute ma vie... Prendre ce qui me plaisait.

La voix de Pilar sonna, haute et claire, impressionnante soudain :

— Et vous en avez payé le prix ?

Simeon cessa de rire. Il se redressa, les yeux rivés sur elle :

— Qu'est-ce que tu as dit là ?

— J'ai dit : en avez-vous payé le prix, grand-père ?

— Je... je n'en sais rien..., répondit lentement le vieillard.

Puis, frappant son fauteuil du poing, il s'écria avec colère :

— Qu'est-ce qui te fait dire ça, petite ? Hein ? Qu'est-ce qui te fait dire ça ?

— Je me demandais, dit Pilar.

Le petit écran s'était immobilisé au bout de son bras. Ses yeux étaient sombres et mystérieux. Elle était assise, la tête en arrière, consciente d'elle-même, de sa féminité.

— Espèce de sale gosse..., murmura Simeon.

Elle répondit doucement :

— Mais vous m'aimez bien, grand-père. Vous aimez que je vienne m'asseoir à côté de vous.

— Oui, j'aime ça, dit Simeon. Cela fait bien long-temps que je n'ai pas vu un brin de fille aussi jeune et aussi joli. Ça me fait du bien, ça réchauffe mes vieux os... Et tu es ma chair et mon sang... Un bon point pour Jennifer, c'était elle la meilleure de toute la troupe, après tout !

Pilar souriait.

— Mais on ne m'a pas comme ça, reprit Simeon. Je sais pourquoi tu viens t'asseoir là à m'écouter si patiemment débiter mes histoires. C'est l'argent... C'est ça qui t'intéresse. Ou est-ce que tu prétendrais aimer ton vieux grand-père ?

— Non, je ne vous aime pas, dit Pilar. Mais je vous aime bien. Je vous aime beaucoup, même. Vous devez le croire, parce que c'est vrai. Je suis persuadée que vous avez été infect, mais j'aime bien ça, aussi. Vous êtes plus réel que tous les autres dans cette maison. Et vous avez des choses intéressantes à raconter. Vous avez voyagé et vous avez mené une vie aventureuse. Si j'étais un homme, je serais comme ça, moi aussi.

Simeon hocha la tête :

— Oui, je le crois volontiers... Nous avons du sang gitan dans la famille, c'est du moins ce qu'on a toujours prétendu. Ça ne se voit pas beaucoup chez mes enfants — sauf chez Harry —, mais je crois qu'il est ressorti chez toi. Je peux être patient, figure-toi, quand il le faut. Une fois, j'ai attendu quinze ans pour régler mes comptes avec un homme qui m'avait fait du tort. C'est une autre caractéristique des Lee — ils n'oublient jamais ! Ils vengeront un affront, même s'ils doivent attendre des années pour ça. Un homme m'a roulé, un jour. J'ai attendu quinze ans que la chance se présente — et là, j'ai frappé ! Je l'ai mis sur la paille. Complètement lessivé !

Il rit doucement.

— C'était en Afrique du Sud ? demanda Pilar.

— Oui. Un grand pays.

— Et vous y êtes retourné, après ?

— J'y suis retourné cinq ans après mon mariage. C'était la dernière fois.

— Mais avant ça ? Vous êtes resté là-bas longtemps ?

— Oui.

— Racontez-moi.

Il se mit à parler. Pilar, protégeant son visage, écoutait.

La voix du vieil homme ralentit, hésita.

— Attends, dit-il, je vais te montrer quelque chose.

Il se mit précautionneusement sur ses pieds en s'aidant de sa canne, boitilla à travers la pièce, ouvrit le gros coffre-fort et lui fit signe d'approcher.

— Tiens, regarde ça. Touche-les, fais-les rouler entre tes doigts.

Il vit son expression étonnée et se mit à rire.

— Tu sais ce que c'est ? Des diamants, petite ! Des diamants !

Pilar ouvrit de grands yeux. Elle se pencha sur les pierres :

— Mais ce ne sont que des petits cailloux !

— Ce sont des diamants bruts. C'est comme ça qu'on les trouve, sous cette forme.

— Et s'ils étaient taillés, demanda Pilar d'une voix incrédule, ce seraient de vrais diamants ?

— Absolument.

— Ils brilleraient de toutes leurs facettes ?

— De toutes leurs facettes !

— Oh, dit Pilar d'un ton enfantin, je n'arrive pas à y croire !

Simeon s'amusait :

— C'est la pure vérité.

— Ils ont de la valeur ?

— Pas mal, oui. C'est difficile à dire avant qu'ils soient taillés. Mais enfin, ce petit lot vaut plusieurs milliers de livres.

Pilar répéta, en espaçant ses mots :

— Plusieurs... milliers... de livres !

— Disons neuf ou dix mille. Ce sont des pierres assez grosses, tu vois.

Pilar écarquilla les yeux :

— Mais pourquoi vous ne les vendez pas, alors ?

— Parce que j'aime les avoir près de moi.

— Mais tout cet argent ?

— Je n'en ai pas besoin.

— Oh ! dit Pilar, visiblement impressionnée. Mais pourquoi ne pas les faire tailler, pour qu'ils soient beaux ?

— Parce que je les préfère comme ça.

Son visage s'était durci. Il se détourna et se mit à marmonner :

— Les toucher, les sentir entre mes doigts, ça me ramène au bon vieux temps. Tout me revient, le soleil brûlant, l'odeur du veldt, les troupeaux, le vieil Eb, les indigènes, tous, et les couchers de soleil...

Il y eut un léger coup à la porte.

— Remets-les dans le coffre, dit Simeon, et claque
la porte.
Puis il cria :
— Entrez !
Horbury entra, plein d'onction et de déférence.
— Le thé est servi en bas, dit-il.

— Ah ! tu es là, David, dit Hilda. Je t'ai cherché partout. Ne restons pas dans cette pièce, il y fait un froid de loup.

David ne répondit pas tout de suite. Il restait debout, perdu dans la contemplation d'une chaise basse recouverte d'un satin fané. Puis il dit brusquement :

— C'était sa chaise... Celle où elle s'asseyait toujours. C'est celle-là, c'est bien celle-là. Simplement un peu passée, bien sûr.

Le front de Hilda se plissa légèrement.

— Je vois, dit-elle. Sortons d'ici, David. On gèle.

David, sans lui prêter la moindre attention, regardait tout autour de lui.

— C'est ici qu'elle se tenait le plus souvent. Je me revois sur ce tabouret pendant qu'elle me lisait *Jean, le tueur de géants*. Oui, c'était ça, je m'en souviens — *Jean, le tueur de géants*. Je devais avoir six ans.

Hilda lui posa fermement la main sur le bras :

— Reviens dans le salon, mon chéri. Cette pièce n'est pas chauffée.

Docile, il se tourna vers elle, mais elle sentit un léger frisson lui parcourir le corps.

— Rien n'a changé, murmura-t-il. Rien. Comme si le temps s'était arrêté.

Hilda parut inquiète. Elle se força à dire d'une voix ferme et joyeuse :

— Je me demande où sont les autres ! On ne doit pas être loin de l'heure du thé.

David dégagea son bras et ouvrit une autre porte :

— Autrefois, il y avait un piano, ici... Oh, mais il est toujours là ! Je me demande s'il est accordé.

Il s'assit, l'ouvrit et fit courir ses doigts sur le clavier.

— Oui, manifestement, on l'entretient.

Il se mit à jouer. Il avait un bon toucher, et la mélodie coulait avec aisance sous ses doigts.

— Qu'est-ce que c'est ? demanda Hilda. Il me semble que je connais, mais je n'arrive pas à me rappeler.

— Je ne l'ai pas jouée depuis des années. Elle la jouait souvent. C'est une des *Romances sans paroles* de Mendelssohn.

La douce, trop douce mélodie emplit la pièce.

— Joue-moi du Mozart, demanda Hilda. Je t'en prie.

David secoua la tête. Il attaqua une autre pièce de Mendelssohn.

Et puis soudain il abattit ses mains sur le clavier qui rendit un son discordant, et se leva. Il tremblait de tous ses membres. Hilda vint vers lui :

— David... David...

— Ce n'est rien, dit-il. Ce n'est rien.

4

La sonnette retentit, agressive. Tressilian se leva de son siège dans l'office et se dirigea à pas lents vers la porte.

La sonnette retentit de nouveau. Tressilian fronça les sourcils. À travers la vitre dépolie, il vit la silhouette d'un homme coiffé d'un chapeau mou.

Tressilian se passa la main sur le front. Quelque chose le mettait mal à l'aise. C'était comme si la scène se jouait une seconde fois.

Pas de doute, c'était déjà arrivé. Pas de doute...

Il tira le verrou et ouvrit la porte.

Le charme fut rompu. L'homme sur le seuil demanda :

— C'est bien ici qu'habite Mr Simeon Lee ?

— Oui, monsieur.

— Pourrais-je le voir, s'il vous plaît ?

Le faible écho d'un souvenir traversa la mémoire de Tressilian. Il avait déjà entendu cette intonation autrefois, à l'époque où Mr Lee venait de s'installer en Angleterre.

Tressilian secoua la tête d'un air dubitatif.

— Mr Lee est invalide, monsieur. Il ne reçoit guère. Si vous...

L'étranger interrompit le majordome en lui tendant une enveloppe.

— Veuillez remettre ceci à Mr Lee.

— Bien, monsieur.

Simeon Lee prit l'enveloppe, d'où il sortit une simple feuille de papier. La surprise se peignit sur son visage. Ses sourcils se haussèrent, mais il souriait.

— Ça, alors, c'est merveilleux ! s'exclama-t-il.

Puis, au majordome :

— Faites monter Mr Farr, Tressilian.

— Bien, monsieur.

— Je pensais justement au vieil Ebenezer Farr, dit Simeon. C'était mon associé là-bas, à Kimberley. Et voilà son fils qui débarque !

Tressilian réapparut en annonçant : « Mr Farr. »

Stephen Farr entra avec une pointe d'appréhension, qu'il dissimula sous un air plus désinvolte que nature.

— Mr Lee ? dit-il en exagérant son accent sud-africain.

— Je suis heureux de vous voir. Alors, comme ça, vous êtes le fils d'Eb ?

Stephen Farr eut un sourire un peu intimidé.

— Ma première visite au vieux pays ! Père m'avait toujours dit de passer vous voir si j'entreprenais le voyage.

— Et il a bien fait. (Le vieillard tourna la tête.) Voici ma petite-fille, Pilar Estravados.

— Comment allez-vous ? murmura Pilar d'un air réservé.

« Petit monstre froid, pensa Stephen Farr, épaté. Elle a été surprise de me voir, mais elle s'est rattrapée tout de suite. »

— Ravi de faire votre connaissance, miss Estravados, dit-il en appuyant assez lourdement sur chaque mot.

— Vous êtes trop bon, répondit Pilar.

— Asseyez-vous et parlez-moi de vous, dit Simeon. Vous comptez séjourner longtemps en Angleterre ?

— Oh, maintenant que je suis ici, je ne suis pas pressé de repartir !

Sur quoi, il se mit à rire, la tête renversée en arrière.

— Vous avez bien raison. Il faut rester quelque temps chez nous.

— Voyons, monsieur ! Pas question que je joue les intrus. On est à deux jours de Noël.

— Il faut que vous passiez Noël avec nous — à moins que vous n'ayez d'autres projets ?

— Non, aucun, mais je ne veux pas...

— C'est une affaire réglée, trancha Simeon. Pilar ?

— Oui, grand-père.

— Va dire à Lydia que nous avons un autre invité. Demande-lui de monter.

Pilar quitta la pièce. Stephen la suivit des yeux, ce que Simeon nota avec amusement.

— Vous arrivez directement d'Afrique du Sud ? demanda-t-il.

— À peu près.

Ils se mirent à parler de l'Afrique. Lydia entra quelques instants plus tard.

— Voici Stephen Farr, dit Simeon, le fils de mon vieil ami et associé, Ebenezer Farr. Il va rester avec nous pour Noël, si vous pouvez lui trouver une chambre.

— Bien sûr, dit Lydia en souriant.

D'un rapide coup d'œil, elle enregistra le visage bronzé, les yeux bleus et le port de tête désinvolte du jeune étranger.

— Ma belle-fille, dit Simeon.

— Je suis très gêné de vous tomber dessus comme ça en pleine fête de famille, s'excusa Stephen.

— Vous faites partie de la famille, mon garçon, dit Simeon. Considérez que vous êtes ici chez vous.

— C'est trop gentil à vous, monsieur.

Pilar réapparut et s'assit en silence près du feu. Elle ramassa son petit écran, et recommença à s'éventer d'un lent mouvement du poignet. Elle affectait une pose modeste, et gardait les yeux baissés.

TROISIÈME PARTIE

24 DÉCEMBRE

1

— Tu veux vraiment que je m'installe ici, Père ? demanda Harry. (Il rejeta la tête en arrière.) J'ai l'impression que ça va créer pas mal de problèmes, tu sais.

— Que veux-tu dire ? demanda Simeon, acerbe.

— Frère Alfred, dit Harry. Mon bon frère Alfred, si je peux me permettre, n'est pas ravi de ma présence ici.

— Et alors ! aboya Simeon. Je suis maître chez moi.

— Tout de même, monseigneur, je crois comprendre que tu t'en remets beaucoup à lui. Je ne veux pas bouleverser...

— Tu feras ce que je dirai, trancha Simeon.

Harry bâilla :

— Je me demande si je serais capable de supporter longtemps cette vie plan-plan. Plutôt étouffant, pour un type qui a roulé sa bosse aux quatre coins du monde.

— Tu ferais mieux de te marier et de t'établir, rétorqua son père.

— Et qui vais-je épouser ? Dommage qu'on ne puisse pas épouser sa nièce. La jeune Pilar est fichtrement séduisante.

— Ah, tu as remarqué ça ?

— À propos de mariage, le gros George ne s'est pas trop mal débrouillé, dirait-on. Qui est-ce ?

Simeon haussa les épaules.

— Est-ce que je sais ? Je crois que George l'a ramassée à un défilé de mannequins. Elle prétend que son père était officier de marine en retraite.

— Ouais, le second d'un caboteur quelconque, ricana Harry. S'il ne la tient pas à l'œil, George va avoir de gros ennuis avec elle.

— George est un imbécile, décréta Simeon Lee.

— Pourquoi l'a-t-elle épousé ? Pour son argent ? Simeon haussa les épaules.

— Enfin bon, tu penses que tu peux arranger les choses avec Alfred ?

— Nous allons régler ça tout de suite, trancha Simeon, glacial.

Il agita une clochette posée près de lui sur la table et Horbury apparut aussitôt.

— Dites à Mr Alfred de monter, ordonna Simeon.

Horbury sortit et Harry grommela :

— Ce type-là écoute aux portes !

— Probablement, dit Simeon avec un haussement d'épaules.

Alfred arriva ventre à terre. Son visage se contracta quand il vit son frère.

— Tu voulais me voir, Père ? dit-il en ignorant ostensiblement Harry.

— Oui, assieds-toi. J'étais en train de me dire qu'il allait falloir réorganiser un peu la maison maintenant que nous avons deux personnes de plus.

— *Deux ?*

— Pilar va rester vivre ici, naturellement. Et Harry est revenu pour de bon.

— Harry va habiter ici ? dit Alfred.

— Pourquoi pas, mon vieux ? dit Harry.

Alfred se tourna vivement vers lui :

— J'aurais cru que tu le comprendrais tout seul !

— Eh bien, désolé, mais je ne vois pas.

— Après tout ce qui s'est passé ? La façon honteuse dont tu t'es conduit. Le scandale...

Harry eut un geste d'insouciance :

— Tout ça, c'est du passé, mon vieux.

— Tu t'es conduit d'une façon abominable envers Père, après tout ce qu'il avait fait pour toi.

— Écoute voir, Alfred, il me semble que c'est l'affaire de Père, pas la tienne. S'il préfère oublier et pardonner...

— C'est bien mon intention, dit Simeon. Harry est mon fils, après tout.

— Oui, mais moi ça me scandalise, par égard pour toi, Père.

— Harry revient à la maison ! dit Simeon d'un ton ferme. Je le veux. (Il posa doucement la main sur l'épaule de ce dernier.) J'aime beaucoup Harry.

Alfred se leva et quitta la pièce, le visage décomposé. Harry se leva également et le suivit en riant.

Simeon se mit à ricaner doucement. Soudain, il sursauta :

— Qu'est-ce que... ? Oh, c'est vous, Horbury. Vous ne pourriez pas marcher comme tout le monde ?

— Je vous demande pardon, monsieur.

— Aucune importance. Écoutez-moi bien, j'ai des instructions pour vous. Je veux que tout le monde monte ici après le déjeuner. *Tout le monde.*

— Oui, monsieur.

— Attendez, ce n'est pas tout : quand ils viendront, vous monterez avec eux. Et quand vous serez à mi-chemin dans le couloir, *parlez fort, que je vous entende.* Peu importe le prétexte. Compris ?

— Oui, monsieur.

Une fois redescendu, Horbury confia à Tressilian :

— Si vous voulez mon avis, nous allons avoir un joyeux Noël.

— Que voulez-vous dire ? demanda sèchement Tressilian.

— Attendez et vous verrez, Mr Tressilian. Demain, c'est Noël, et l'ambiance est à la fête, c'est moi qui vous le dis !

2

Ils s'immobilisèrent sur le seuil.

Simeon parlait au téléphone. Il leur fit un signe de la main.

— Asseyez-vous, tous autant que vous êtes. J'en ai pour une minute.

Il poursuivit sa conversation téléphonique :

— Je suis bien chez Charlton, Hodgkins & Bruce? C'est vous, Charlton? Simeon Lee à l'appareil. Oui, n'est-ce pas ?... Oui... Non, je voulais que vous me prépariez un nouveau testament... Oui, ça fait un moment que j'ai rédigé l'autre... La situation a changé... Oh non, non, rien d'urgent. Je ne veux pas vous gâcher les fêtes. Après Noël, disons le 26 ou le 27, par là. Passez me voir, je vous donnerai mes instructions. Non, non, c'est parfait. Je ne vais pas mourir à la seconde.

Il reposa le récepteur, enveloppa les huit membres de sa famille d'un regard circulaire, et dit en gloussant :

— Vous avez tous l'air bien sombre. Qu'y a-t-il ?

— Tu nous as convoqués..., dit Alfred.

— Oh, oui, excusez-moi, répliqua vivement Simeon. Rien de grave. Vous pensiez qu'il s'agissait d'un conseil de famille ? Non, je suis simplement un peu fatigué aujourd'hui, c'est tout. Inutile de monter me voir après le dîner. Je vais me coucher tôt. Je veux être en forme pour le jour de Noël.

Il leur fit un large sourire.

— Bien sûr... Bien sûr..., dit George, toujours zélé.

— Une noble et belle institution, Noël, reprit Simeon. Cela resserre les liens familiaux. Qu'en pensez-vous, ma chère Magdalene ?

Magdalene Lee sursauta. Elle ouvrit sa petite bouche stupide et la referma :

— Oh... oh oui !

— Mais dites-moi, reprit Simeon, vous viviez bien avec un officier de marine en retraite... (il fit une pause :) votre père, non ? M'est avis que vous ne deviez pas fêter beaucoup Noël. Il faut une grande famille, pour ça.

— Euh... eh bien... oui, peut-être bien...

Simeon l'abandonna pour se tourner vers George :

— Ça m'ennuie de parler de choses déplaisantes à cette période de l'année, George, mais tu sais, j'ai bien peur de devoir réduire un peu ta pension. Les dépenses ici vont devenir plus lourdes.

George s'empourpra :

— Mais Père, tu ne peux pas faire ça !

— Ah, tu crois ? susurra Simeon.

— J'ai des frais très lourds. Très lourds. Même dans l'état actuel des choses, j'ai déjà du mal à joindre les deux bouts. Je suis obligé de faire très attention !

— Laisse donc ta femme s'occuper un peu du ménage. Les femmes sont très douées pour ça. Elles trouvent le moyen d'économiser là où un homme n'imaginerait pas ça possible. Et puis une femme astucieuse peut faire ses robes elle-même. Je me souviens que ma femme excellait aux travaux d'aiguille. C'était bien la seule chose où elle excellait, d'ailleurs. Une brave femme, mais à périr d'ennui...

David bondit sur ses pieds, mais son père l'arrêta d'un geste :

— Assieds-toi, mon garçon, tu vas renverser quelque chose.

— Ma mère..., commença David.

— Ta mère n'avait pas plus de cervelle qu'un piaf ! Et j'ai comme l'impression qu'elle a transmis ça à ses enfants. (Il se dressa soudain, et deux taches rouges apparurent sur ses joues. Sa voix se fit criarde :) Vous ne valez pas un pet de lapin, tous autant que vous êtes ! Vous me dégoûtez ! Vous n'êtes pas des *hommes !* Vous êtes des mauviettes, une bande de mauviettes lamentables, voilà ce que vous êtes ! Pilar vaut autant que vous tous réunis ! Je veux bien être pendu si je n'ai pas quelque part dans le monde un fils un peu mieux que vous, même si vous êtes nés dans le bon lit !

— Holà Père, doucement ! s'écria Harry.

Il avait sauté sur ses pieds et se tenait campé, une expression tendue sur son visage habituellement jovial.

— Ça vaut aussi pour *toi !* aboya Simeon. Tu as fait quoi, *toi*, dans la vie ? À part m'envoyer des câbles du monde entier pour quémander de l'argent ! Je vous dis que vous me dégoûtez, tous autant que vous êtes ! Sortez d'ici !

Haletant quelque peu, il se renversa dans son fauteuil.

Lentement, un par un, les membres de la famille se retirèrent. George était rouge d'indignation. Magdalene semblait terrorisée. David était pâle et tremblant. Harry sortit de la pièce en trombe. Alfred titubait comme un somnambule. Lydia le suivit, la tête haute. Seule Hilda s'arrêta sur le seuil et revint lentement sur ses pas.

Elle resta penchée au-dessus du vieux Simeon, qui sursauta quand il rouvrit les yeux. Il y avait quelque chose de menaçant dans sa façon de se tenir là, immobile comme une statue.

— Qu'y a-t-il ? dit-il avec irritation.

— Quand votre lettre est arrivée, dit Hilda, j'ai cru ce qu'elle disait : que vous vouliez être entouré de votre famille pour Noël. Et j'ai persuadé David de venir.

— Et alors ? grinça Simeon.

— Vous vouliez en effet votre famille auprès de vous, répondit lentement Hilda, mais pas dans le but que vous prétendiez ! Vous vouliez les réunir pour semer la zizanie entre eux, n'est-ce pas ? Si c'est là votre idée du plaisir, vous êtes tombé bien bas !

Simeon ricana :

— J'ai toujours eu un sens de l'humour très particulier. Qu'on l'apprécie ou pas, je m'en moque. *Moi,* je m'amuse !

Elle ne répondit rien. Un vague sentiment d'appréhension envahit Simeon Lee.

— À quoi pensez-vous ? demanda-t-il d'un ton abrupt.

— J'ai peur..., dit lentement Hilda Lee.

— Vous avez peur... de moi ?

— Pas *de* vous. J'ai peur *pour* vous !

Puis, comme un juge qui a prononcé sa sentence, elle se détourna et sortit de la chambre d'un pas lourd.

Simeon resta les yeux rivés sur la porte.

Puis il se mit péniblement sur ses pieds et se dirigea vers le coffre en murmurant :

— Allons jeter un petit coup d'œil à mes beautés.

3

La sonnette retentit vers 8 heures moins le quart.

Tressilian alla ouvrir. De retour à l'office, il trouva Horbury en train de tripoter des tasses à café dont il examinait le monogramme avec intérêt.

— Qui était-ce ? dit Horbury.

— Un officier de police, le superintendant Sugden. Mais faites donc attention !

Horbury venait de laisser échapper une tasse qui s'écrasa sur le sol.

— Regardez ce que vous avez fait, se lamenta Tressilian. Onze ans que je lave ces tasses et jamais une de cassée. Il suffit que vous veniez là vous mêler de ce qui ne vous regarde pas, et voilà le résultat !

— Je suis désolé, Mr Tressilian. Vraiment désolé, s'excusa l'autre dont le visage était couvert de sueur. Je ne sais pas comment c'est arrivé. Vous dites qu'un policier est venu ?

— Oui. Mr Sugden.

Le valet se passa la langue sur les lèvres :

— Et... qu'est-ce qu'il voulait ?

— Il fait une quête pour l'orphelinat de la police.

— Oh !

Horbury redressa les épaules et reprit d'une voix plus naturelle :

— Il a obtenu quelque chose ?

— J'ai porté le cahier à Mr Lee, qui m'a dit de faire monter le superintendant et de poser le sherry sur la table.

— C'est la période des quêtes, dit Horbury. Le vieux guignol est généreux, il faut lui reconnaître ça, malgré tous ses défauts.

— Mr Lee a toujours donné sans compter, dit Tressilian d'un air digne.

Horbury acquiesça.

— C'est bien ce qu'il a de mieux ! Bon, eh bien, j'y vais.

— Vous allez au cinéma ?

— Je pense. Salut, Mr Tressilian.

Il disparut par la porte qui menait à l'entrée de service.

Tressilian regarda l'horloge murale.

Il pénétra dans la salle à manger et enveloppa les petits pains dans les serviettes.

Puis, après s'être assuré que tout était en ordre, il frappa sur le gong du vestibule.

Le dernier coup résonnait encore quand le superintendant descendit les escaliers. Le superintendant Sugden était un bel homme impeccablement sanglé dans son uniforme bleu et fort pénétré de son importance.

— Je crois bien qu'il va geler cette nuit, dit-il d'un ton affable. C'est une bonne chose : il a fait trop doux ces temps-ci.

Tressilian hocha la tête :

— Oui, cette humidité, c'est mauvais pour mes rhumatismes.

Le superintendant convint que les rhumatismes étaient un mal bien pénible, et Tressilian le raccompagna.

Le vieux majordome reverrouilla la porte et revint dans le hall d'un pas lent. Il se passa la main sur les yeux et soupira. Puis il se redressa en voyant Lydia entrer dans le salon, tandis que George Lee descendait les escaliers.

Tressilian était fin prêt. Quand Magdalene, qui était la dernière, fut passée au salon, il apparut à son tour en murmurant :

— Le dîner est servi.

À sa façon, Tressilian était un connaisseur en toilettes féminines. Il ne manquait pas d'en faire l'examen critique quand il circulait autour de la table, carafe en main.

Il nota que Mrs Alfred portait sa nouvelle robe en taffetas à fleurs noires et blanches. Un dessin audacieux, qui se remarquait. Mais, contrairement à beaucoup, elle pouvait se le permettre. La robe de Mrs George était un modèle de grand couturier, il en était certain. Elle avait dû coûter les yeux de la tête. C'est Mr George qui avait dû être content de recevoir la facture ! Mr George n'aimait pas dépenser son argent — il n'avait jamais aimé cela. Mrs David, maintenant. Une gentille femme, mais aucun sens de la toilette. Pour sa corpulence, il aurait fallu un simple velours noir. Ce velours broché, cramoisi de surcroît, était un choix déplorable. Quant à miss Pilar, peu importait ce qu'elle portait : avec sa silhouette et sa chevelure, elle pouvait tout s'autoriser. Quand même, là, cette pauvre petite robe blanche de rien du tout... Enfin, Mr Lee allait bientôt remédier à cela ! Il l'avait vraiment prise en affection. C'était toujours pareil avec les messieurs vieillissants. Un frais minois pouvait tout obtenir d'eux !

— Vin du Rhin, ou bordeaux ? chuchota Tressilian avec déférence à l'oreille de Mrs George.

Du coin de l'œil, il nota que Walter, le valet de pied, recommençait à présenter les légumes avant la sauce — ce n'était pourtant pas faute de l'avoir mis en garde !

Tressilian fit le tour de la table avec le soufflé. Il fut frappé de constater, à présent que son intérêt pour les toilettes des dames et ses appréhensions concernant les insuffisances de Walter s'étaient dissipés, combien tout le monde était silencieux, ce soir. Enfin, pas tout à fait : Mr Harry parlait pour vingt. Non, pas Mr Harry : le monsieur d'Afrique du Sud. Et les autres parlaient aussi, mais brièvement comme par saccades. Il y avait quelque chose de bizarre autour de cette table.

Mr Alfred, par exemple. Il n'avait vraiment pas l'air bien du tout. Comme si on lui avait tapé sur le crâne. Il avait l'air hébété et chipotait dans son assiette. La maîtresse s'inquiétait pour lui, Tressilian le voyait bien. Elle ne cessait de regarder dans sa direction, discrètement bien sûr, mais quand même. Mr George était très rouge — il s'empiffrait sans goûter. S'il n'y prenait pas garde, il finirait par avoir une crise d'apoplexie, un de ces jours. Mrs George ne mangeait rien. Elle surveillait sa ligne aussi sûr que deux et deux font quatre. Miss Pilar avait l'air d'apprécier ce qu'elle avait dans son assiette — ce qui ne l'empêchait pas de parler et de rire avec le monsieur d'Afrique du Sud. Il avait l'air subjugué. Ces deux-là au moins ne semblaient pas avoir de soucis !

Et Mr David ? Tressilian était inquiet au sujet de Mr David. C'était le portrait de sa mère. L'air incroyablement jeune encore. Mais d'un nerveux ! Là, voilà ! Il avait renversé son verre...

Tressilian l'escamota aussitôt et épongea prestement le liquide sur la nappe. Et voilà. Mr David semblait ne s'être rendu compte de rien, il était là, tout blême, les yeux perdus dans le vide.

Au fait, il en avait fait une drôle de tête, tout à l'heure Horbury, en entendant qu'un policier était à la maison... presque comme si...

Les pensées de Tressilian n'allèrent pas plus loin. Walter venait de laisser tomber une poire de la corbeille qu'il présentait ! Les valets de pied ne valaient rien, de nos jours ! Tout juste bons pour les écuries.

Il fit le tour de la table avec le porto. Mr Harry semblait un peu distrait, ce soir. Il regardait sans arrêt Mr Alfred. Ils n'avaient jamais vraiment pu se souffrir, ces deux-là, même petits. Bien sûr, Mr Harry avait toujours été le préféré de son père, et Mr Alfred l'avait encore sur le cœur. Mr Lee ne s'était jamais beaucoup soucié de Mr Alfred. Quelle pitié, quand on voyait combien il vénérait son père.

Ah, voilà Mrs Alfred qui se levait de table et entraînait les autres dames dans son gracieux sillage. Très beau, vraiment, ce motif sur le taffetas. Et cette cape lui allait à ravir. Une dame d'une grande élégance.

Tressilian retourna à l'office après avoir refermé la porte de la salle à manger sur les messieurs en tête à tête avec leur porto.

Il apporta le plateau du café au salon. Les quatre dames se tenaient là, pas très à l'aise, pensa-t-il. Elles ne disaient rien. Il servit le café en silence.

Il ressortit. Comme il se dirigeait vers l'office, il entendit la porte de la salle à manger s'ouvrir. David Lee en sortit et se dirigea vers le salon.

De retour à l'office, Tressilian entreprit de dresser à Walter la liste de ses péchés, lequel Walter répondit avec un aplomb qui frisait l'insolence.

Une fois seul, Tressilian s'assit avec lassitude.

Il se sentait déprimé. La veille de Noël, et toute cette tension dans la maison... Il n'aimait pas ça !

Il fit un effort pour se relever, retourna au salon et desservit le café. Il n'y avait plus personne, à l'exception de Lydia, à l'autre bout de la pièce, à demi dissimulée par les rideaux. Elle se tenait près de la fenêtre et contemplait la nuit dehors.

De la pièce voisine parvint le son du piano.

Mr David jouait. Mais pourquoi donc, se demanda Tressilian, Mr David jouait-il la Marche funèbre ? Car c'était cela qu'on entendait. Décidément, tout allait mal.

Il traversa lentement le hall en direction de l'office.

C'est alors qu'il entendit le bruit au-dessus de sa tête : un fracas de porcelaine brisée, de meubles renversés, une série de craquements et de chocs sourds.

« Bonté divine ! pensa Tressilian. Que fait donc Mr Lee ? Que se passe-t-il là-haut ? »

Et alors, un cri jaillit, haut et clair, un horrible hurlement plaintif qui s'étouffa dans une sorte de gargouillis.

L'espace d'un instant, Tressillian resta cloué sur place, puis il se rua vers le grand escalier. D'autres l'avaient rejoint. Le hurlement avait été entendu dans toute la maison.

Ils escaladèrent les marches au pas de course, tournèrent dans le couloir, passèrent devant un renfoncement où des statues dessinaient d'inquiétantes silhouettes blafardes et s'engouffrèrent dans le passage qui menait à la porte de Simeon Lee. Mr Farr était déjà là, avec Mrs David. Elle était adossée au mur ; et lui tournait en tous sens la poignée de la porte.

— La porte est fermée à clé, balbutiait-il. La porte est fermée à clé !

Harry Lee le bouscula et s'empara de la poignée. Il la secoua à son tour. En vain.

— Père ! hurla-t-il ! Père, laisse-nous entrer !

Il leva la main pour réclamer le silence et tout le monde écouta. Il n'y eut pas de réponse. Aucun son ne leur parvint de l'intérieur de la pièce.

La sonnette de la porte d'entrée retentit, mais personne ne lui prêta attention.

— Il faut enfoncer la porte, dit Stephen Farr. C'est la seule solution.

— Ça va être coton, répondit Harry. Ces portes sont bougrement solides. Allons-y, Alfred.

Ils poussèrent et cognèrent de toutes leurs forces. De guerre lasse, ils allèrent chercher un banc de chêne dont ils se servirent comme d'un bélier. Le battant finit par céder. Ses gonds craquèrent et la porte s'abattit avec un bruit sourd.

Un instant, ils se tinrent sur le seuil serrés les uns contre les autres, les yeux braqués à l'intérieur. Ce qu'ils virent là, aucun d'eux ne devait jamais l'oublier...

À l'évidence, il y avait eu une bagarre effroyable. De lourds fauteuils anciens étaient renversés. Des débris de vases de porcelaine fracassés jonchaient le sol. Et, au beau milieu de la carpette placée devant la cheminée, éclairé par le feu rougeoyant, Simeon Lee gisait dans une mare de sang... Du sang, il y en avait partout. C'était une véritable scène de carnage.

Un long soupir se fit entendre, puis deux voix s'élevèrent tour à tour. Curieusement, toutes deux, pour prononcer une citation.

— *Les meules du Seigneur broient avec lenteur...*, psalmodia David Lee.

Et juste après, comme en écho, ce murmure s'envola des lèvres de Lydia :

— *Qui aurait cru que ce vieil homme eût en lui tant de sang... ?*

4

Le superintendant Sugden avait déjà sonné trois fois. En désespoir de cause, il se rabattit sur le heurtoir.

Ce fut un Walter épouvanté qui vint en fin de compte lui ouvrir.

— Ah, ben ça ! couina-t-il avec un air de soulagement manifeste. Justement que j'étais en train d'appeler la police.

— Pourquoi ? lança le superintendant. Qu'est-ce qui se passe ?

— C'est le vieux Mr Lee, chuchota Walter. *On lui a fait son affaire...*

Le superintendant le repoussa et se rua dans l'escalier. Il pénétra dans la pièce sans que personne n'y prête attention. Il vit Pilar qui se baissait pour ramasser quelque chose par terre. Il vit David Lee, le visage caché dans les mains.

Il vit les autres agglutinés dans un coin. Seul Alfred Lee s'était approché de son père. Le visage sans expression, il regardait le corps affalé à ses pieds.

George pontifiait :

— Rappelez-vous que rien, *rigoureusement rien* ne doit être touché jusqu'à l'arrivée de la police. C'est *de la plus haute* importance !

— Excusez-moi, dit Sugden.

Il se fraya un chemin vers le corps en écartant doucement les dames.

Alfred Lee le reconnut :

— Ah, c'est vous, Sugden. Vous avez fait vite.

— Oui, Mr Lee. (Le superintendant Sugden ne perdit pas de temps en explications :) Qu'est-ce qui s'est passé ici ?

— Mon père a été tué, dit Alfred Lee, *assassiné*... Sa voix se brisa.

Magdalene éclata soudain en sanglots hystériques.

Le superintendant Sugden leva la grande main de la Loi et dit avec autorité :

— Que tout le monde sorte, s'il vous plaît, sauf Mr Alfred Lee et... euh... Mr George Lee.

Ils se dirigèrent vers la porte à contrecœur, comme un troupeau de moutons. Le superintendant Sugden intercepta Pilar au passage.

— Excusez-moi, mademoiselle, dit-il aimablement. Rien ne doit être touché ni dérangé.

Elle le regarda avec étonnement. Stephen Farr vola à son secours :

— Bien sûr. Elle l'a parfaitement compris.

— Ne venez-vous pas de ramasser quelque chose par terre ? reprit le superintendant de la même voix aimable.

Pilar ouvrit de grands yeux incrédules :

— Moi ?

— Oui. Je vous ai vue, dit le superintendant Sugden d'une voix toujours aimable mais un petit peu plus ferme.

— Oh !

— Alors, donnez-moi ça, s'il vous plaît. Vous l'avez dans la main.

Pilar ouvrit lentement la main, découvrant un lambeau de caoutchouc et un petit objet en bois. Le superintendant Sugden s'en saisit et les mit dans une enveloppe qu'il fit disparaître dans sa poche de poitrine.

— Merci, dit-il.

Il se détourna. L'espace d'un instant, il y eut une expression de respect étonné dans le regard de Stephen Farr. Comme si, peut-être, il avait sous-estimé le grand et bel officier de police.

Ils sortirent lentement de la pièce. Derrière eux, le superintendant disait de son ton le plus service-service :

— Et maintenant, si vous le voulez bien...

5

— Rien de tel qu'une bonne flambée, ronronna le colonel Johnson qui rajouta une bûche dans la cheminée et rapprocha son fauteuil. Servez-vous, ajouta-t-il en désignant d'un geste affable la cave à liqueurs et le siphon posés à côté de son hôte.

Celui-ci leva la main en signe de refus poli. Prudemment, il rapprocha son propre fauteuil des flammes, tout en pensant que la possibilité de se rôtir la plante des pieds, outre que ça évoquait une torture moyenâgeuse, ne compensait en rien le glacial vent coulis qui lui courait dans le dos.

Le colonel Johnson, chef de la police du Middleshire, pouvait bien penser que rien ne valait un bon feu de bois, Hercule Poirot estimait, lui, que le chauffage central l'emportait haut la main en toutes circonstances !

— Drôle d'histoire que cette affaire Cartwright, remarqua pensivement son hôte. Quel homme étonnant ! Un charme fantastique. Quand il est arrivé ici avec vous, nous sommes tous venus lui manger dans la main.

Il hocha la tête.

— Nous ne sommes pas près de revoir affaire pareille. Les cas d'empoisonnement à la nicotine ne sont pas monnaie courante, Dieu merci.

— Il fut un temps où on aurait juré que l'empoisonnement en général n'était guère britannique, glissa Hercule Poirot avec son plus effroyable accent. Un truc d'étrangers ! Pas sport pour deux sous !

— Je ne crois pas qu'on puisse dire ça, répliqua le chef de la police. Il y a plein d'empoisonnements à l'arsenic — probablement bien plus que nous ne le soupçonnerons jamais.

— C'est bien possible.

— C'est toujours embêtant, ces affaires d'empoisonnement. Les experts se contredisent ; quant aux médecins, il faut les trois quarts du temps leur arracher les mots. Jamais facile d'aller devant un jury avec des affaires pareilles. Non, s'il *faut* qu'il y ait meurtre — ce qu'à Dieu ne plaise —, qu'on me donne une affaire bien carrée, où la cause de la mort ne fait aucun doute.

Poirot hocha la tête :

— La blessure par balle, la gorge tranchée, le crâne enfoncé ? C'est là que va votre préférence ?

— Oh, ne parlez pas de préférence, mon cher ami. Ne vous imaginez pas que j'*aime* les affaires de meurtre ! Je voudrais ne plus jamais en avoir. En tout cas, le temps de votre visite, nous devrions dormir sur nos deux oreilles.

— Ma réputation..., commença Poirot, toujours modeste.

Mais Johnson poursuivait :

— C'est le temps de Noël. Jouez hautbois, résonnez musettes, et tout et tout. C'est l'époque des bons sentiments.

Hercule Poirot se renversa dans son fauteuil. Il joignit le bout des doigts en étudiant pensivement son hôte. Puis il murmura :

— Vous pensez donc que Noël n'est pas une bonne saison pour le crime ?

— En effet.

— Et pourquoi donc ?

— Pourquoi ? (Johnson eut l'air un peu déconcerté.) Eh bien, comme je vous l'ai dit, c'est la saison des réjouissances, de tout ça, quoi !

— Ces Anglais, murmura Poirot, quel peuple sentimental !

— Et après ? s'insurgea Johnson. Pourquoi n'aimerions-nous pas les vieilles traditions et les fêtes qui vont avec ? Quel mal y a-t-il à cela ?

— Aucun, aucun. C'est on ne peut plus charmant ! Mais tenons-nous-en aux *faits*. Vous dites que Noël est la saison des réjouissances. Ce qui signifie, si je ne m'abuse, que l'on mange et que l'on boit beaucoup ? Autant dire, en fait, qu'on se *goinfre !* Et quand on se goinfre, on attrape des indigestions ! Or, les indigestions rendent irritable !

— On ne tue pas par irritation, objecta le colonel Johnson.

— Je n'en suis pas si sûr ! Prenez un autre aspect de la question. Il règne à Noël un esprit d'amour universel. C'est la tradition, comme vous dites si bien. On oublie les vieilles querelles : ceux qui s'étaient disputés consentent à se réconcilier, même si ça ne doit durer qu'un temps.

Johnson hocha la tête :

— On enterre la hache de guerre, exactement.

— Et les familles... prenez les familles qui ont été séparées toute l'année, poursuivit Poirot. Elles se rassemblent une fois de plus. Eh bien, mon ami, quand toutes ces conditions sont réunies, il vous faut admettre qu'il doit en résulter une très grande *tension*. Des gens qui n'ont pas *envie* d'être aimables font un gros effort sur eux-mêmes pour *avoir l'air* aimables. Il y a énormément d'*hypocrisie* à Noël — hypocrisie honorable, hypocrisie pour le bon motif, c'est entendu, mais hypocrisie tout de même !

— Hum, j'avoue que j'ai du mal à voir les choses sous cet angle, regimba le colonel Johnson.

Poirot lui adressa un grand sourire :

— Évidemment, c'est moi qui les décris en ces termes, pas *vous*. Je vous fais remarquer que, dans ces conditions de tension et de *malaise* physique, il y a de fortes chances pour que des antipathies légères et des désaccords sans importance prennent soudain un tour plus sérieux. Quand on se force à paraître plus aimable, plus généreux, plus magnanime qu'on ne l'est en fait, on finit généralement par se montrer plus désagréable, plus mesquin et plus odieux que nature ! Si vous réprimez un comportement naturel, mon bon ami, le barrage cède tôt ou tard et le cataclysme se produit !

Le colonel Johnson le contempla d'un air sceptique.

— Je ne sais jamais quand vous êtes sérieux et quand vous vous moquez de moi, grommela-t-il.

Poirot lui sourit :

— Je ne parle pas sérieusement ! Pas le moins du monde ! Mais quand même, il y a du vrai dans ce que je dis : des conditions artificielles déclenchent des réactions naturelles.

Le serviteur du colonel Johnson pénétra dans la pièce.

— Le superintendant Sugden au téléphone, monsieur.

— Fort bien. J'y vais.

Avec un murmure d'excuse, le colonel quitta la pièce.

Il revint quelques minutes plus tard, le visage grave et troublé.

— Mille tonnerres ! dit-il. Un meurtre ! Et la nuit de Noël, par-dessus le marché !

Poirot leva les sourcils :

— Il n'y a aucun doute... pour le meurtre, veux-je dire ?

— Hein ? Oh, aucun doute là-dessus ! Un cas tout ce qu'il y a de plus clair. C'est un meurtre, et un meurtre d'une rare brutalité !

— Qui est la victime ?

— Le vieux Simeon Lee. Un de nos plus riches concitoyens ! Il a bâti sa fortune en Afrique du Sud. Les mines d'or — non, les diamants, plutôt. Il a englouti des sommes colossales dans la fabrication d'un outillage de forage. Sa propre invention, je crois. En tout cas, ça lui a rapporté au centuple ! On le dit multimillionnaire.

— Et il était populaire ? demanda Poirot.

— Je ne crois pas que qui que ce soit tenait à lui, dit lentement Johnson. Un drôle de type. Invalide depuis un certain temps déjà. Pour ma part, je ne sais pas grand-chose de lui, mais c'est l'une des personnalités du comté.

— Alors cette affaire, ça va faire des remous ? s'enquit Poirot dans son anglais le plus malsonnant.

— Oui. Je dois me rendre à Longdale dans les plus brefs délais.

Il jeta un regard hésitant à son hôte. Poirot entendit la question informulée :

— Vous aimeriez que je vous accompagne ?

— J'ai un peu honte de vous demander ça, répondit Johnson avec embarras. Mais enfin, vous savez ce que c'est : le superintendant Sugden est un bon élément, le meilleur qui soit, précis, prudent, fiable à cent pour cent, mais, bon... sans une once d'*imagination*... Bref, puisque vous êtes là, j'aimerais beaucoup profiter de vos lumières.

Poirot acquiesça sans hésiter :

— J'en serai ravi. Comptez sur moi pour vous assister dans toute la mesure de mes moyens. Mais gardons-nous bien de vexer ce bon superintendant. Ce sera son affaire — pas la mienne. Je ne serai là qu'à titre de conseiller privé.

— Vous êtes un brave type, Poirot, dit le colonel Johnson avec chaleur.

Et sur ces bonnes paroles, les deux hommes se mirent en route.

6

Ce fut un constable qui leur ouvrit la porte en saluant. Le superintendant Sugden apparut aussitôt derrière lui :

— Content de vous voir ici, monsieur. Si nous passions dans le bureau de Mr Lee ? J'aimerais vous exposer tout de suite les grandes lignes. C'est une affaire bizarre.

Il les fit entrer dans une petite pièce située à gauche du hall. Il y avait là un téléphone et un grand bureau couvert de papiers. Des bibliothèques couraient tout le long des murs.

— Sugden, dit le chef de la police, voici M. Hercule Poirot. Vous avez peut-être déjà entendu parler de lui. Il se trouve séjourner chez moi en ce moment... Superintendant Sugden.

Poirot fit un petit signe de tête tout en examinant le superintendant. Il vit un homme de haute taille aux épaules carrées et au maintien militaire, pourvu d'un nez aquilin, d'une mâchoire volontaire et d'une abondante moustache châtain clair. À la mention de son nom, Sugden avait levé sur Poirot un regard attentif. Hercule Poirot de son côté regardait fixement la moustache du superintendant. Son abondance semblait le fasciner.

— Bien sûr que j'ai entendu parler de vous, monsieur Poirot, finit par dire Sugden. Vous êtes venu dans le coin voici quelques années, si je me souviens bien. La mort de sir Bartholomew Strange. Empoisonnement. Nicotine. Pas mon district, mais j'en ai tout naturellement entendu parler.

Le colonel Johnson coupa court :

— Bon, Sugden, si nous en venions aux faits ? Ils sont tout ce qu'il y a de clair, disiez-vous ?

— Oui, monsieur. Il s'agit bien d'un meurtre, il n'y a aucun doute là-dessus. Mr Lee a eu la gorge tranchée, la veine jugulaire coupée net, d'après le médecin. Mais il y a quelque chose de très étrange dans toute cette histoire.

— Que voulez-vous dire ?

— Je voudrais tout d'abord vous raconter mon histoire, monsieur. Voici les circonstances : cet après-midi, aux alentours de 5 heures, Mr Lee m'a téléphoné au poste d'Addles-field. Il avait une voix un peu bizarre, il m'a demandé de passer le voir ce soir à 8 heures précises — il a bien insisté sur l'heure. Et il m'a demandé en outre de dire au majordome que je venais quêter pour une quelconque œuvre de la police.

Le colonel Johnson releva vivement la tête :

— Il cherchait un prétexte plausible pour vous introduire dans la maison ?

— C'est cela, monsieur. Bon, naturellement, Mr Lee est quelqu'un d'important, et j'ai accédé à sa demande. Je suis arrivé ici un peu avant 8 heures du soir, et j'ai prétendu que je quêtais pour l'orphelinat de la police. Le majordome est monté et il est revenu me dire que Mr Lee allait me recevoir. Là-dessus, il m'a conduit à la chambre de Mr Lee, qui se trouve au premier étage, juste au-dessus de la salle à manger.

Le superintendant Sugden fit une pause, reprit son souffle et poursuivit son rapport comme faire se doit.

— Mr Lee était assis dans un fauteuil près de la cheminée. Il portait une robe de chambre. Quand le majordome a eu quitté la pièce et refermé la porte derrière lui, Mr Lee m'a demandé de m'asseoir près de lui. Puis il m'a dit en hésitant un peu qu'il voulait me signaler un vol. Je lui ai demandé ce qui avait été dérobé. Il m'a répondu qu'il avait des raisons de croire que des diamants — des diamants bruts, a-t-il précisé, je crois — d'une valeur de plusieurs milliers de livres avaient été volés dans son coffre-fort.

— Des diamants, hein ? dit le chef de la police.

— Oui, monsieur. Je lui ai posé les questions de routine, mais il avait un ton très incertain et ses réponses restaient assez vagues. Il a fini par me dire : « Vous devez comprendre, superintendant, que je peux me tromper dans cette affaire. » Et j'ai répondu : « Je ne saisis pas très bien, monsieur. Ou bien les diamants ont disparu, ou bien ils sont toujours là. C'est tout l'un ou tout l'autre. » À quoi il m'a rétorqué : « Oh, les diamants ont bien disparu, mais ça n'est peut-être qu'une blague stupide. » Bon, tout cela m'a paru bizarre, mais je n'ai pas bronché. Il a continué : « Il m'est difficile de vous donner des explications détaillées, mais en gros, cela revient à ça : pour autant que je sache, seules deux personnes ont pu s'emparer de ces diamants. L'une d'elles peut l'avoir fait par jeu. Si c'est l'autre personne qui les a pris, alors cela signifie qu'ils ont vraiment été volés. » J'ai dit : « Et que voulez-vous que je fasse au juste, monsieur ? » Et il a décrété tout à trac : « Je veux que vous reveniez ici dans une heure environ — non, même un peu plus tard, vers 9 heures et quart. À ce moment-là, je serai en mesure de vous dire précisément s'il s'agit d'un vol ou non. » J'étais un peu perplexe, mais enfin j'ai dit d'accord et je suis parti.

— Curieux, commenta le colonel Johnson. Très curieux. Qu'en pensez-vous, Poirot ?

Hercule Poirot se tourna vers Sugden :

— Puis-je vous demander, superintendant, quelles ont été vos propres conclusions ?

Le superintendant se caressa la mâchoire avant de répondre prudemment :

— Eh bien, il m'est venu plusieurs idées, mais, en gros, voilà comment je vois les choses. Il ne s'agit absolument pas d'une farce. Les diamants ont bel et bien été volés. Mais le vieux ne savait pas avec certitude qui les avait pris. À mon avis, il disait la vérité quand il déclarait qu'il pouvait s'agir de deux personnes — et, toujours selon moi, sur ces deux personnes, l'une était un domestique, et l'autre un *membre de la famille*.

Poirot approuva d'un signe de tête :

— Très bien. Oui, cela explique fort bien son attitude.

— D'où son désir de me voir revenir plus tard. Dans l'intervalle, il avait l'intention d'avoir un entretien avec les personnes en question. Il leur dirait qu'il avait déjà parlé du vol à la police, mais que, en cas de restitution rapide, il passerait l'éponge.

— Et si le suspect ne saisissait pas la perche ? s'enquit le colonel Johnson.

— Dans ce cas, il avait l'intention de remettre l'affaire entre nos mains.

Le colonel Johnson fronça les sourcils en tortillant sa moustache.

— Pourquoi n'avoir pas eu cet entretien *avant* de vous faire venir ? objecta-t-il.

— Non, non, monsieur, dit le superintendant en secouant la tête. Dans ce cas-là, l'autre aurait pu croire qu'il bluffait. Ça n'aurait pas été aussi convaincant, comprenez-vous ? La personne pouvait se dire : « Quels que soient ses soupçons, le vieux n'appellera jamais la police ! » Mais si le vieux lui dit : « J'ai déjà parlé à la police, le superintendant sort d'ici », alors le voleur questionne le majordome, et le majordome confirme. Il dit : « Oui, le superintendant est passé juste avant le dîner. » Alors le voleur comprend que le vieux est tout ce qu'il y a de sérieux et il ne lui reste plus qu'à rendre les pierres.

— Hum... Oui, je vois, dit le colonel Johnson. Une idée, Sugden, sur l'identité de ce « membre de la famille » ?

— Non, monsieur.

— Aucun indice ?

— Pas le moindre.

— Bon, poursuivons.

Le superintendant Sugden reprit son ton de rapport officiel :

— Je suis revenu ici à 9 h 15 précises. Juste au moment où je m'apprêtais à appuyer sur la sonnette, j'ai entendu un hurlement qui venait de l'intérieur de la maison, suivi de cris et d'un branle-bas général. J'ai sonné à plusieurs reprises, j'ai fini par utiliser le heurtoir, et j'ai attendu encore trois ou quatre minutes avant qu'on vienne. Quand le valet de pied m'a enfin ouvert, j'ai vu qu'il venait de se passer quelque chose de grave. Il tremblait de tous ses membres et semblait sur le point de s'évanouir. Il a balbutié que Mr Lee avait été assassiné. J'ai grimpé l'escalier à toute allure, et j'ai trouvé la chambre de Mr Lee complètement dévastée. Il y avait manifestement eu une lutte acharnée. Mr Lee était affalé au beau milieu d'une mare de sang devant le foyer, la gorge tranchée.

— Est-ce qu'il n'aurait pas pu faire ça lui-même ? demanda le colonel Johnson.

Sugden secoua la tête :

— Impossible, monsieur. D'abord, il y avait tout ce mobilier sens dessus dessous, les fauteuils, les tables, la porcelaine et les bibelots fracassés, et puis il n'y avait aucune trace du rasoir ou du couteau avec lequel le crime a été commis.

— Oui, dit pensivement Johnson, cela ne paraît guère discutable. Personne dans la chambre ?

— Les membres de la famille étaient là, monsieur. Debout, autour de lui.

— Des suggestions, Sugden ?

— C'est une sale affaire, monsieur, répondit prudemment le superintendant. J'ai bien l'impression que c'est l'un d'entre eux qui a fait le coup. Je vois mal comment quelqu'un de l'extérieur aurait pu le faire et s'échapper à temps.

— Et les fenêtres ? Ouvertes ? Fermées ?

— Il y a deux fenêtres dans la chambre, monsieur. L'une était fermée et verrouillée. L'autre était ouverte de quelques centimètres en bas, mais bloquée dans cette position par un boulon antivol. J'ai essayé de la soulever, et elle n'a pas bougé — pas été ouverte depuis des années, à mon avis. Et puis, le mur extérieur est parfaitement lisse, pas de lierre, pas de plantes grimpantes. Je ne vois pas comment on aurait pu s'enfuir par là.

— Combien de portes dans la chambre ?

— Une seule. La chambre se trouve tout au fond d'un couloir. La porte était fermée à clé de l'intérieur. Quand ils ont entendu le bruit de la bagarre et le cri d'agonie du vieil homme, et qu'ils se sont précipités en haut, ils ont dû enfoncer la porte pour entrer.

— Et qui se trouvait dans la pièce ?

— Il n'y avait personne dans la chambre, monsieur, répondit le superintendant Sugden d'une voix grave. Sauf le vieil homme qui venait d'être assassiné quelques minutes auparavant.

7

Le colonel Johnson contempla Sugden un moment avant de bredouiller avec indignation :

— Seriez-vous en train de me chanter, superintendant, qu'il s'agit d'un de ces fichus cas qu'on ne trouve que dans les romans policiers et où un homme est tué dans une chambre close par quelque intervention apparemment surnaturelle ?

L'esquisse d'un sourire frémit sous la moustache du superintendant :

— Je ne crois pas que l'affaire se présente aussi mal que ça, monsieur.

— Un suicide ! dit le colonel Johnson. Ce doit être un suicide !

— Où est l'arme, dans ce cas ? Non, monsieur, il ne peut s'agir d'un suicide.

— Alors, comment le meurtrier s'est-il enfui ? Par la fenêtre ?

Sugden secoua la tête :

— Je suis prêt à parier que non.

— Mais puisque vous dites que la porte était fermée à clé de l'intérieur !

Le superintendant hocha la tête. Il sortit une clé de sa poche et la posa sur la table.

— Aucune empreinte, annonça-t-il. Mais regardez cette clé de plus près, monsieur. Prenez cette loupe.

Poirot se pencha. Johnson et lui examinèrent la clé de concert, puis le chef de la police poussa une exclamation :

— Bon sang, je vois ce que vous voulez dire ! Ces légères éraflures au bout du canon. Vous les voyez, Poirot ?

— Bien sûr, que je les vois. Cela signifie, si je ne m'abuse, que la clé a été tournée de l'extérieur — tournée à l'aide d'un instrument qu'on a introduit dans le trou de la serrure pour manœuvrer le canon. Peut-être une simple paire de pinces aura-t-elle fait l'affaire.

Le superintendant acquiesça.

— Donc, poursuivit Poirot, puisque la porte était fermée de l'intérieur et qu'il n'y avait personne dans la pièce, l'idée était que la mort passerait pour un suicide ?

— C'était bien l'idée, monsieur Poirot. Pour moi, ça ne fait pas l'ombre d'un doute.

Poirot secoua la tête d'un air dubitatif :

— Mais le désordre de la chambre ! Comme vous venez de le dire, cela suffisait à soi tout seul pour éliminer l'hypothèse du suicide. Le meurtrier aurait certainement commencé par remettre la pièce en ordre.

— Mais il n'en a pas eu le *temps*, monsieur Poirot. Tout est là. Il n'en a pas eu le temps. Il espérait sans doute prendre le vieux par surprise, mais les choses n'ont pas tourné comme ça. Il y a eu bagarre — bagarre qu'on a parfaitement entendue au rez-de-chaussée. Et qui plus est, le vieux a appelé à l'aide. Tout le monde s'est rué au premier. Le meurtrier n'a eu que le temps de se glisser hors de la chambre et de tourner la clé de l'extérieur.

— C'est juste, admit Poirot. Votre meurtrier, supposons qu'il s'y soit mal pris, qu'il ait loupé son coup, comme on dit. Mais pourquoi, oh oui pourquoi n'at-il pas au moins laissé l'arme sur le terrain. Car il va bien évidemment de soi que pas d'arme équivaut à pas de suicide ! Ça, c'est vraiment une très grosse erreur.

Mais rien ne semblait pouvoir démonter le super-intendant Sugden :

— Les criminels commettent toujours des erreurs. Nous sommes payés pour le savoir.

Poirot poussa un léger soupir :

— Quoi qu'il en soit, et malgré toutes ses erreurs, il s'est échappé, ce criminel.

— Je ne pense pas qu'il se soit à proprement parlé *échappé*.

— Vous voulez dire qu'il est encore dans la maison ?

— Je ne vois pas où il pourrait être ailleurs. C'est un coup qui a été fait du dedans.

— Mais tout de même, insista doucement Poirot, il s'est au moins échappé en ceci que *vous ne savez pas qui il est.*

— J'ai dans l'idée que nous allons le savoir vite, répliqua le superintendant Sugden, courtois mais ferme. Nous n'avons pas encore commencé les inter-rogatoires.

— Dites, Sugden, intervint le colonel Johnson, un détail me frappe. Celui qui a fait tourner cette clé de l'extérieur devait posséder le coup de main. Autre-ment dit, avoir quelques cambriolages à son actif. Ce genre d'instruments n'est pas si facile à manier.

— Vous voulez dire que c'était un travail de pro-fessionnel, monsieur ?

— C'est ça, oui.

— Ça y ressemble, en effet, admit Sugden. Partant de là, on pourrait conclure qu'il y a un cambrioleur professionnel parmi les domestiques. Cela explique-rait le vol des diamants, dont le meurtre serait la conséquence logique.

— Eh bien, y a-t-il quelque chose qui aille à l'encontre de cette théorie ?

— Sur le moment, j'avais cru que ça collait. Mais ça pose quand même quelques problèmes. Il y a huit domestiques dans la maison, dont six femmes ; et sur les six, cinq sont ici depuis au moins quatre ans. Restent le majordome et le valet de pied. Le majordome est ici depuis près de quarante ans — une sorte de record. Le valet de pied a grandi ici : c'est le fils du jardinier. Je vois mal comment il pourrait être monte-en-l'air de profession. Il ne reste plus que le valet personnel de Mr Lee. Par rapport aux autres, c'est un nouveau venu, mais il était dehors à l'heure du crime, et il l'est encore. Il est sorti juste avant 8 heures.

— Avez-vous la liste des personnes présentes ? demanda le colonel Johnson.

— Oui, monsieur. Je la tiens du majordome. (Il sortit son calepin.) Je vous la lis ?

— S'il vous plaît.

— Mr et Mrs Alfred Lee. Mr George Lee, député, et sa femme ; Mr Henry Lee, Mr et Mrs David Lee. Miss...

Le superintendant se concentra avant d'articuler avec prudence :

— Pi-lar (dans sa bouche, cela ressemblait à un terme d'architecture)... Es-tra-va-dos. Mr Stephen Farr. Pour les domestiques : Edward Tressilian, majordome. Walter Champion, valet de pied. Emily Reeves, cuisinière. Queenie Jones, fille de cuisine. Gladys Spent, gouvernante. Grace Best, femme de chambre. Beatrice Moscombe, seconde femme de chambre. Joan Kench, bonne à tout faire. Sydney Horbury, valet personnel de Mr Lee.

— C'est tout ?

— C'est tout, monsieur.

— Savez-vous où se trouvaient tous ces gens au moment du meurtre ?

— Grosso modo, seulement. Comme je vous l'ai dit, je n'ai encore interrogé personne. D'après Tressilian, les messieurs étaient encore dans la salle à manger. Les dames étaient passées au salon où il leur avait servi le café. Il dit qu'il venait juste de rentrer à l'office quand il a entendu un fracas au premier, suivi d'un cri terrible. Il est sorti en courant et a monté les escaliers derrière les autres.

— Qui dans la famille habite ici ? demanda le colonel Johnson.

— Mr et Mrs Alfred Lee vivent ici. Tous les autres sont en visite.

Johnson hocha la tête.

— Où sont-ils, tous ?

— Je leur ai demandé de rester dans le salon jusqu'à ce que je sois prêt à recueillir leurs dépositions.

— Je vois. Bon, il serait peut-être temps d'aller examiner le travail.

Le superintendant les précéda dans le grand escalier et le long du corridor. En entrant dans la pièce où le meurtre avait été commis, Johnson laissa échapper un long sifflement.

— Quelle boucherie ! dit-il sobrement.

Il resta quelques instants sur le seuil à contempler les fauteuils renversés, la porcelaine fracassée et les mille et un débris éclaboussés de sang.

Un homme mince d'un certain âge était agenouillé près du corps. Il se releva pour les saluer.

— 'Soir, Johnson. Sacré carnage, hein ?

— Comme vous dites. Quelque chose pour nous, docteur ?

Celui-ci haussa les épaules.

— Vous attendrez l'enquête pour les termes scientifiques, dit-il en souriant. Rien de compliqué là-dedans. Saigné comme un porc. Il s'est vidé de son sang en moins d'une minute. Aucune trace de l'arme.

Poirot alla examiner les fenêtres à guillotine. Comme l'avait dit le superintendant, l'une était fermée et verrouillée. L'autre était ouverte de quelques centimètres et bloquée dans cette position par un système de sécurité connu autrefois sous le nom de « boulon antivol ».

— D'après le majordome, expliqua Sugden, cette fenêtre restait entrouverte par tous les temps. On a posé par terre un carré de linoléum au cas où la pluie rentrerait, mais étant donné que l'avancée du toit protège la fenêtre, il ne sert pas à grand-chose.

Poirot hocha la tête. Il revint vers le corps du vieil homme.

Ses lèvres étaient retroussées sur des gencives exsangues, comme s'il montrait les dents. Ses doigts étaient recourbés comme des serres.

— Il n'avait pas l'air du genre costaud, ça non, remarqua Poirot.

— Il était pourtant très résistant, répliqua le médecin. Il avait survécu à des sales maladies qui en auraient tué plus d'un.

— Ce n'est pas ce que je veux dire, reprit Poirot. Je veux dire, il n'était pas épais, pas fort physiquement.

— Non, il était plutôt frêle.

Poirot se détourna du cadavre et se pencha pour examiner un fauteuil renversé, un lourd fauteuil d'acajou massif. À côté gisaient une table ronde, en acajou également, et les fragments d'une grosse lampe de porcelaine. Deux autres fauteuils étaient retournés. Les débris d'une carafe et de deux verres, un lourd presse-papiers en verre, intact, un amas de livres, un grand vase japonais en morceaux et une statuette de bronze complétaient la scène.

Poirot se pencha sur chacun de ces objets et les étudia avec attention, mais sans les toucher. Il avait les sourcils froncés.

— Quelque chose vous frappe, Poirot ? demanda Johnson.

Hercule Poirot soupira.

— Un vieil homme tout ratatiné, si frêle..., murmura-t-il, et pourtant... tout ceci.

Johnson parut décontenancé. Il se tourna vers le sergent, qui s'activait dans la pièce.

— Des empreintes ?

— Des quantités, monsieur, partout.

— Sur le coffre-fort ?

— Rien d'intéressant. Les seules empreintes sont celles du vieux monsieur lui-même.

Johnson s'adressa au médecin.

— Et les taches de sang ? Le meurtrier a certainement du sang sur lui.

Le médecin fit la moue.

— Pas forcément. Le sang a coulé de la veine jugulaire. Ça ne jaillit pas comme d'une artère.

— Non, bien sûr. Pourtant, il semble y en avoir partout.

— Oui, approuva Poirot, beaucoup de sang ! C'est frappant, cette quantité de sang.

Le superintendant Sugden se tourna respectueusement vers lui :

— Vous... euh... cela vous suggère une idée, monsieur Poirot ?

Poirot promena dans la pièce un regard perplexe :

— Il règne ici une atmosphère de... de fureur brutale... Oui, c'est bien ça, de *fureur brutale*. Et de rage sanguinaire, d'emphase sur le côté sanglant... Il y a... comment dire ?... Il y a *trop de sang*. Du sang sur les fauteuils, sur les tables, sur le tapis. Le sang rituel ? Le sang sacrifice ? Est-ce de cela qu'il s'agit ? Peut-être... Un homme aussi frêle, aussi maigre, aussi desséché, et pourtant... dans la mort... *tant de sang...*

Sa voix s'éteignit. Le superintendant Sugden le fixait, les yeux ronds.

— C'est drôle, dit-il d'une voix troublée... c'est ce qu'elle a dit... La dame.

— Quelle dame ? Qu'est-ce qu'elle a dit ?

— Mrs Lee... Mrs Alfred, répondit Sugden. Elle était là, à la porte, et elle chuchotait à moitié. Je n'ai pas compris de quoi elle parlait.

— Qu'est-ce qu'elle disait ?

— Quelque chose comme « qui aurait pensé que le vieux monsieur avait tant de sang en lui... »

Poirot dit doucement :

— *Qui aurait cru que ce vieil homme eût en lui tant de sang ?* Ce sont les mots de Lady Macbeth. Elle a dit ça... Ah, c'est intéressant...

8

Alfred Lee et sa femme entrèrent dans le petit bureau où Poirot, Sugden et le chef de la police attendaient debout. Le colonel Johnson les accueillit :

— Comment allez-vous, Mr Lee ? Nous ne nous sommes jamais rencontrés, mais comme vous le savez, je suis le chef de la police du comté. Je m'appelle Johnson. Je ne saurais vous dire à quel point je compatis...

— Je vous remercie, dit Alfred d'une voix rauque, l'air d'un chien battu. C'est terrible. Je... Voici ma femme.

Lydia posa la main sur l'épaule de son mari.

— Ça a été un choc terrible pour mon mari... pour nous tous... mais particulièrement pour lui, dit-elle de la voix calme qui lui était habituelle.

— Voulez-vous vous asseoir, Mrs Lee ? demanda le colonel Johnson. Permettez-moi de vous présenter M. Hercule Poirot.

Hercule Poirot s'inclina. Ses yeux allaient avec intérêt de la femme au mari.

Lydia pressa doucement l'épaule d'Alfred :

— Assieds-toi, Alfred.

Alfred obéit.

— Hercule Poirot, murmura-t-il. Mais enfin, qui... ?

Il se passa la main sur le front d'un air égaré.

— Le colonel Johnson va devoir te poser des quantités de questions, Alfred, lui dit sa femme.

Le chef de la police lui jeta un regard approbateur. Il était soulagé que Mrs Alfred Lee se révèle une femme aussi sensée et compétente.

— Bien sûr, dit Alfred. Bien sûr...

« Il a l'air complètement sonné, pensa Johnson. Espérons qu'il va se ressaisir un peu. »

— J'ai ici, dit-il, la liste de toutes les personnes qui se trouvaient ce soir dans la maison. Peut-être pourrez-vous me dire si elle est correcte, Mr Lee.

Il se tourna vers Sugden qui tira son calepin de sa poche et récita une nouvelle fois la liste de noms.

Cette formalité concrète parut ramener Alfred Lee à un état quasi normal. Il avait repris le contrôle de lui-même et ses yeux ne fixaient plus le vide avec égarement. Quand Sugden eut terminé, il fit un signe d'approbation :

— C'est bien cela.

— Voudriez-vous m'en dire un peu plus sur vos invités ? Mr et Mrs George Lee, ainsi que Mr et Mrs David Lee sont des parents, je suppose ?

— Ce sont mes frères cadets et leurs épouses.

— Ils ne font que séjourner ici ?

— Oui, ils sont venus pour Noël.

— Mr Harry Lee est également votre frère ?

— Oui.

— Et les deux autres invités ? Miss Estravados et Mr Farr ?

— Miss Estravados est ma nièce. Mr Farr est le fils de l'ancien associé de mon père en Afrique du Sud.

— Ah, un vieil ami.

— Non, intervint Lydia. En fait, c'est la première fois que nous le voyons.

— Bien. Mais vous l'avez néanmoins invité à passer les fêtes avec vous ?

Alfred hésita, puis jeta un regard à sa femme, qui prit la parole :

— Mr Farr est arrivé hier à l'improviste. Il se trouvait dans les environs, et il est passé rendre visite à mon beau-père. Quand celui-ci a appris qu'il était le fils de son vieil ami et associé, il a insisté pour qu'il passe Noël avec nous.

— Je vois, dit le colonel Johnson. Voilà donc pour la famille et les invités. Et en ce qui concerne les domestiques, Mrs Lee, vous les considérez tous comme des personnes de confiance ?

Lydia réfléchit un moment avant de répondre.

— Oui, dit-elle enfin. Je suis certaine qu'ils sont tous parfaitement honnêtes. Tressilian, le majordome, est ici depuis l'enfance de mon mari. Les seuls nouveaux venus sont Joan, la bonne et l'infirmier-valet de chambre qui était au service personnel de mon beau-père.

— Et ces deux-là ?

— Joan est une petite dinde. C'est bien tout le mal qu'on puisse en dire. Quant à Horbury, je sais fort peu de chose sur son compte. Il n'est ici que depuis un an. Il est très compétent, et mon beau-père semblait content de lui.

— Mais vous, madame, souligna Poirot, perspicace, vous n'en étiez pas si contente ?

Lydia haussa légèrement les épaules :

— Cela ne me concernait pas.

— Vous êtes pourtant la maîtresse de maison, madame ? Ce qui vous confère la haute main sur les domestiques, n'est-il pas vrai ?

— Si, bien sûr. Mais Horbury était le valet personnel de mon beau-père. Il ne dépendait pas de moi.

— Je vois.

Le colonel Johnson intervint :

— Venons-en aux événements de la soirée. Je

crains que ça ne vous soit pénible, Mr Lee, mais j'aimerais avoir votre version des faits.

— Bien sûr, dit Alfred dans un souffle.

— Quand, par exemple, enchaîna le colonel Johnson, avez-vous vu votre père pour la dernière fois ?

Un léger spasme de douleur crispa le visage d'Alfred.

— C'était après le thé, dit-il à voix basse. Je suis resté un petit moment avec lui. Je lui ai souhaité bonne nuit et j'ai dû le quitter vers... attendez... vers 6 heures moins le quart.

— Vous lui avez souhaité bonne nuit ? releva Poirot. Vous ne pensiez donc pas le revoir dans la soirée ?

— Non. Mon père se faisait toujours monter un souper léger dans sa chambre à 7 heures. Après cela, il se mettait au lit ou restait assis dans son fauteuil, mais il ne souhaitait pas nous voir le soir. Ou alors il nous envoyait expressément chercher.

— Il vous envoyait souvent chercher ?

— Parfois. Quand l'envie lui en prenait.

— Mais ce n'était pas l'habitude ?

— Non.

— Poursuivez, Mr Lee, je vous prie.

— Nous avons dîné à 8 heures. Après quoi ma femme et les autres dames sont passées au salon. (Sa voix s'altéra. Ses yeux se perdirent de nouveau dans le vide.) Nous étions assis là... à table... Soudain, il y a eu ce bruit épouvantable à l'étage au-dessus. Fauteuils renversés, meubles jetés à terre, verre brisé, porcelaine fracassée, et puis... Oh, Seigneur... (Il frissonna.) Je l'entends encore. Mon père a poussé un cri, un cri horrible, interminable, le cri d'un homme à l'agonie...

Il se couvrit le visage de ses mains tremblantes. Lydia lui toucha la manche.

— Et ensuite ? fit doucement le colonel Johnson.

Alfred reprit d'une voix brisée :

— Je crois que... que nous sommes un instant restés *abasourdis*. Et puis nous avons sauté sur nos pieds, grimpé l'escalier quatre à quatre et nous sommes précipités vers la chambre de mon père. La porte était fermée à clé. Impossible d'entrer. Il a fallu l'enfoncer. Et puis, quand elle a cédé, nous avons vu...

Sa voix s'éteignit.

— Nous n'avons pas besoin d'entrer dans ces détails, Mr Lee, s'empressa Johnson. Revenons un peu en arrière, au moment où vous étiez dans la salle à manger. Qui était avec vous quand vous avez entendu ce cri ?

— Qui était là ? Eh bien, nous étions tous là... Non, attendez... Mon frère était là — mon frère Harry.

— Personne d'autre ?

— Personne.

— Et où étaient les autres messieurs ?

Alfred soupira, sourcils froncés :

— Laissez-moi réfléchir, cela paraît si loin... Oui, à des années de distance. Que s'est-il donc passé ? Ah oui, George était allé téléphoner. Puis nous avons commencé à discuter d'affaires de famille, et Stephen Farr a dit qu'il voyait bien que nous avions des problèmes à débattre, et il est sorti. Il l'a fait avec beaucoup de tact et de gentillesse.

— Et votre frère David ?

Alfred fronça les sourcils.

— David ? Il n'était pas là ? Non, bien sûr que non. Je ne sais pas du tout quand il s'est éclipsé.

— Ainsi, dit doucement Poirot, vous aviez à discuter d'affaires de famille ?

— Euh... Oui.

— C'est-à-dire que vous aviez à discuter avec *un* des membres de votre famille ?

— Que voulez-vous dire, monsieur Poirot ? intervint Lydia.

Il se tourna vers elle :

— Madame, votre mari vient de dire que Mr Farr avait quitté la pièce parce qu'il voyait qu'ils avaient à discuter d'affaires de famille. Mais il ne s'agissait pas d'un *conseil de famille*, puisque ni Mr David ni Mr George n'étaient présents. Il s'agissait donc d'une discussion personnelle entre deux membres de la famille.

— Mon beau-frère Harry est resté à l'étranger pendant des années, expliqua Lydia. Il était naturel que mon mari et lui aient des choses à se dire.

— Ah, je vois. C'était donc ça.

Elle lui lança un regard acéré, puis détourna les yeux.

— Bien, reprit Johnson, tout cela semble assez clair. Avez-vous remarqué quelqu'un d'autre en courant vers la chambre de votre père ?

— Je... Vraiment, je ne sais pas. Je pense, oui. Nous arrivions de toutes les directions. Mais je n'ai pas fait attention... J'étais tellement inquiet. Ce cri effroyable...

Le colonel Johnson s'empressa de passer à un autre sujet :

— Je vous remercie, Mr Lee. Il reste maintenant un autre point crucial. J'ai cru comprendre que votre père avait en sa possession des diamants d'une valeur considérable.

Alfred parut assez surpris.

— Oui, dit-il. C'est exact.

— Où se trouvaient-ils ?

— Dans le coffre de sa chambre.

— Pouvez-vous les décrire ?

— C'étaient des diamants bruts — c'est-à-dire des pierres non taillées.

— Pourquoi votre père les gardait-il là ?

— Une lubie à lui. Il avait rapporté ces pierres d'Afrique du Sud et ne les avait jamais fait tailler. Il aimait simplement les avoir en sa possession. Comme je vous l'ai dit, une lubie.

— Je vois, dit le chef de la police.

Il était clair à son ton qu'il ne voyait rien du tout. Il poursuivit :

— Ces pierres avaient-elles beaucoup de valeur ?

— Mon père les estimait à environ dix mille livres.

— C'étaient donc des pierres d'une très grande valeur ?

— Oui.

— Cela semble une idée curieuse que de conserver de telles pierres dans le coffre d'une chambre à coucher.

— Voyez-vous, colonel Johnson, intervint Lydia, mon beau-père était un homme assez curieux. Il n'avait pas les idées de tout le monde. Il éprouvait un réel plaisir à manier ces pierres.

— Peut-être lui rappelaient-elles le passé, hasarda Poirot.

Lydia parut le considérer d'un œil neuf.

— Oui, dit-elle, je crois que c'était ça.

— Étaient-elles assurées ? demanda Johnson.

— Je ne crois pas.

Johnson se pencha en avant :

— Saviez-vous, Mr Lee, que ces pierres avaient été dérobées ?

— Quoi ? fit Alfred, médusé.

— Votre père ne vous a rien dit de leur disparition ?

— Pas un mot.

— Vous ne saviez pas qu'il avait fait venir le superintendant Sugden pour lui signaler le vol ?

— Je n'en avais pas la moindre idée !

Le chef de la police se retourna :

— Et vous, Mrs Lee ?

Lydia secoua la tête.

— Je n'ai rien entendu de tel.

— Pour vous, les pierres n'avaient pas bougé ?

— Non.

Elle hésita :

— Est-ce pour ça qu'il a été tué ? À cause de ces diamants ?

— C'est ce que nous allons découvrir ! dit le colonel Johnson. Qui aurait pu commettre ce vol, Mrs Lee, en avez-vous la moindre idée ?

— Absolument pas. Je suis certaine de l'honnêteté des domestiques. Et de toute façon, il leur aurait été très difficile d'avoir accès au coffre. Mon beau-père était toujours dans sa chambre. Il ne descendait jamais.

— Qui faisait sa chambre ?

— Horbury. Il faisait le ménage et le lit. La femme de chambre venait simplement retirer les cendres et allumer le feu chaque matin. Horbury s'occupait de tout le reste.

— Horbury serait donc le coupable le plus vraisemblable, murmura Poirot.

— Oui.

— Pensez-vous, en ce cas, que c'est lui qui a volé les diamants ?

— C'est possible. Pourquoi pas ?... Il était le mieux placé pour ça. Oh, je ne sais que penser.

— Votre mari nous a fait son récit de la soirée, dit le colonel Johnson. Voulez-vous nous faire le vôtre, Mrs Lee ? Quand avez-vous vu votre beau-père pour la dernière fois ?

— Nous étions tous dans sa chambre cet après-midi, avant le thé. C'est la dernière fois que je l'ai vu.

— Vous n'êtes pas venue plus tard lui souhaiter bonne nuit ?

— Non.

— Alliez-vous lui dire bonsoir, d'habitude ? demanda Poirot.

— Non, dit brièvement Lydia.

— Où étiez-vous quand le crime a eu lieu ?

— Dans le salon.

— Vous avez entendu le bruit de la lutte ?

— Je crois que j'ai entendu tomber quelque chose de lourd. Mais, bien sûr, la chambre de mon beau-père est au-dessus de la salle à manger. Du salon je ne pouvais pas entendre grand-chose.

— Mais vous avez entendu le cri ?

Lydia frissonna :

— Oui, j'ai entendu ça... C'était horrible, c'était... comme une âme en enfer. J'ai tout de suite su qu'il était arrivé quelque chose d'épouvantable. Je suis sortie en courant et j'ai suivi mon mari et Harry dans les escaliers.

— Qui d'autre se trouvait dans le salon à ce moment-là ?

Lydia fronça les sourcils :

— Vraiment, je ne m'en souviens pas. David était à côté, dans la salle de musique, en train de jouer du Mendelssohn. Je crois que Hilda était allée le rejoindre.

— Et les deux autres dames ?

Lydia fouilla ses souvenirs :

— Magdalene était partie téléphoner. Je n'arrive pas à me souvenir si elle était revenue ou non. Je ne sais pas où était Pilar.

— En fait, dit doucement Poirot, vous étiez peut-être toute seule dans le salon ?

— Oui... Oui, en fait, je crois bien que oui.

— À propos de ces diamants, reprit le colonel Johnson, il faudrait peut-être en avoir le cœur net. Connaissez-vous la combinaison du coffre de votre père, Mr Lee ? Je vois qu'il est d'un modèle assez ancien.

— Vous la trouverez dans un petit carnet qu'il gardait dans la poche de sa robe de chambre.

— Bien. Nous verrons cela tout à l'heure. Il vaut mieux, je pense, en terminer d'abord avec les dépositions. Les dames aimeraient peut-être aller se coucher.

Lydia se leva :

— Viens, Alfred.

Elle se tourna vers les policiers :

— Dois-je vous les envoyer ?

— Un par un, s'il vous plaît, Mrs Lee.

— Certainement.

Elle se dirigea vers la porte, Alfred sur les talons. Soudain, au dernier moment, celui-ci fit volte-face.

— Mais bien sûr ! s'écria-t-il en revenant vers Poirot. Vous êtes Hercule Poirot ! Où avais-je la tête ? J'aurais dû le comprendre tout de suite.

Il parlait vite, d'une voix basse et fébrile :

— Votre présence ici est une véritable bénédiction ! Vous devez découvrir la vérité, monsieur Poirot. Ne regardez pas à la dépense ! Je prends tout à ma charge. *Mais découvrez la vérité !* Mon pauvre père... assassiné... aussi sauvagement assassiné ! Il *faut* que vous découvriez qui a fait cela, monsieur Poirot. Mon père doit être vengé.

— Je peux vous assurer, Mr Lee, répondit posément Poirot, que je suis prêt à faire tout mon possible pour assister le colonel Johnson et le superintendant Sugden.

— Je veux que vous travailliez pour *moi*, insista Alfred Lee. Mon père doit être vengé.

Il se mit à trembler violemment. Lydia était revenue sur ses pas. Elle lui prit doucement le bras.

— Viens, Alfred. Il faut que nous allions chercher les autres.

Ses yeux croisèrent ceux de Poirot. Des yeux qui gardaient leur secret. Et qui ne cillèrent pas.

— *Qui aurait cru que ce vieil homme...,* cita Poirot à mi-voix.

Elle l'interrompit :

— Taisez-vous ! Ne dites pas ça !

— C'est *vous* qui l'avez dit, madame, murmura Poirot.

— Je sais, dit-elle dans un souffle. Je m'en souviens... C'était... si horrible !

Puis elle sortit brusquement de la pièce, précédant
son mari.

9

George Lee se montra solennel et compassé.

— Terrible affaire, dit-il en secouant la tête. Terrible, terrible affaire. Il ne peut s'agir que de... hum... de l'œuvre d'un fou !

— C'est là votre théorie ? s'enquit poliment le colonel Johnson.

— Oui, oui bien sûr. Un fou homicide. Échappé, qui sait, d'un quelconque asile des environs.

Le superintendant Sugden intervint :

— Et comment expliquez-vous que ce... fou ait pu s'introduire dans la maison, Mr Lee ? Et comment en est-il ressorti ?

— Ça, répliqua George, catégorique, c'est à la police de le découvrir.

— Nous avons tout de suite fait le tour de la maison, répondit Sugden. Toutes les fenêtres étaient fermées et les barres mises. La porte de service était verrouillée, ainsi que la porte d'entrée. Personne n'aurait pu sortir par les cuisines sans être vu du personnel.

— Mais c'est absurde ! s'écria George Lee. Vous allez bientôt me dire que mon père n'a jamais été assassiné !

— Il a bien été assassiné, dit le superintendant Sugden. Il n'y a aucun doute là-dessus.

Le colonel Johnson s'éclaircit la gorge et prit la relève :

— Où étiez-vous au juste, Mr Lee, à l'heure du crime ?

— J'étais dans la salle à manger. C'était juste après le dîner. Non, en fait, je devais être dans cette pièce. Je venais de passer un coup de téléphone.

— Vous avez passé un coup de téléphone ?

— Oui. J'ai appelé le secrétaire du Parti conservateur à Westeringham — ma circonscription. Une affaire urgente.

— Et c'est après ce coup de téléphone que vous avez entendu le cri ?

George Lee eut un léger frisson :

— Oui, très déplaisant. Ça m'a glacé le sang. Et puis, ça s'est éteint dans une sorte de gargouillis.

Il sortit un mouchoir de sa poche pour essuyer la transpiration qui perlait à son front.

— Terrible affaire, marmotta-t-il.

— Et vous vous êtes précipité au premier ?

— Oui.

— Avez-vous vu vos frères, Mr Alfred et Mr Harry Lee ?

— Non. Ils ont dû monter juste devant moi, je suppose.

— Quand avez-vous vu votre père pour la dernière fois, Mr Lee ?

— Cet après-midi. Nous étions tous réunis dans sa chambre.

— Vous ne l'avez pas revu ensuite ?

— Non.

Le chef de la police marqua une pause, puis reprit :

— Saviez-vous que votre père conservait des diamants bruts d'une valeur considérable dans le coffre de sa chambre ?

George Lee hocha la tête.

— Disposition tout à fait déraisonnable, décréta-t-il, sentencieux. Je le lui avais maintes fois répété.

Un coup à se faire assassiner... Euh... Je veux dire... Enfin...

Le colonel Johnson coupa court.

— Êtes-vous au courant de ce que ces pierres ont disparu ?

George en resta la mâchoire pendante, ses gros yeux globuleux sortis de la tête :

— Alors, c'est pour cela qu'il a été tué ?

Le chef de la police prit son temps pour répondre :

— Il s'était aperçu de leur disparition et l'avait signalée à la police quelques heures avant sa mort.

— Mais alors, balbutia George... Je ne comprends pas... Je...

Hercule Poirot adopta son ton le plus suave :

— Nous non plus, nous ne comprenons pas...

10

Harry Lee entra dans la pièce d'un air fanfaron. Un instant, Poirot fronça les sourcils. Il avait la sensation d'avoir déjà vu cet homme-là quelque part. Il étudia ses traits : le nez busqué, l'arrogant port de tête, la ligne dure de la mâchoire. Il comprit alors qu'en dépit de la différence de gabarit, il existait une grande ressemblance entre Harry et son père.

Il remarqua également autre chose. Malgré ses airs bravaches, Harry Lee était mal à l'aise. Il s'en tirait en plastronnant mais l'anxiété sous-jacente était là, bien réelle.

— Eh bien, messieurs, dit-il, que voulez-vous savoir ?

— Tout ce que vous pourrez nous apprendre sur les événements de ce soir sera le bienvenu, répondit le colonel Johnson.

Harry Lee secoua la tête :

— Je ne sais rien du tout. Tout cela est atroce et totalement inimaginable.

— Vous êtes revenu de l'étranger il y a peu, Mr Lee, si je ne m'abuse ? demanda Poirot.

Harry se tourna vers lui :

— Oui. J'ai débarqué en Angleterre il y a quinze jours.

— Vous étiez resté absent longtemps ?

Harry Lee releva le menton et se mit à rire :

— Autant vous le dire tout de suite, vous l'apprendrez de toute façon ! Messieurs, je suis le fils prodigue ! Cela fait presque vingt ans que je n'avais pas mis les pieds dans cette maison.

— Mais à présent vous voilà de retour. Voulez-vous nous dire pourquoi ? demanda Poirot.

Harry ne se fit pas prier pour répondre — et ce avec le même air de sincérité apparente :

— C'est la bonne vieille parabole. J'en ai eu assez de manger les gousses que l'on donne aux pourceaux — ou dont ils ne veulent pas, je ne sais plus. Je me suis dit que le veau gras ferait un agréable changement. J'avais reçu une lettre de mon père me suggérant de revenir à la maison. J'ai obéi à l'injonction paternelle et je suis venu. C'est tout.

— Vous êtes venu pour un court séjour ? s'enquit Poirot. Ou pour plus longtemps ?

— Je suis revenu à la maison... pour de bon !

— Selon le vœu de votre père ?

— Le vieux était ravi.

Harry se remit à rire, en plissant ses yeux charmeurs :

— Pas marrant pour lui de vivre ici avec Alfred ! C'est un éteignoir, mon frère — irréprochable et tout, mais pas un bout-en-train. Mon père avait été assez joyeux drille, au bon vieux temps. Il avait hâte de retrouver ma compagnie.

— Et votre frère et sa femme, étaient-ils heureux de vous voir vous installer ici ?

Poirot avait posé la question en haussant quelque peu les sourcils.

— Alfred ? Il était vert de rage. Lydia, je n'en sais rien. Ça l'embêtait sans doute à cause d'Alfred, mais je suis sûr qu'au bout du compte ça ne lui aurait pas déplu. J'aime bien Lydia. C'est une femme charmante. Je me serais bien entendu avec elle. Mais Alfred, c'est une autre paire de manches ! (Il rit encore.) Alfred a toujours été jaloux de moi comme ça n'est pas permis. Lui, ç'a toujours été le bon fils bien soumis, qui reste à la maison avec papa. Et qu'est-ce qu'il y a finalement gagné ? Ce que récoltent toujours les bons fils bien soumis — un coup de pied aux fesses. C'est moi qui vous le dis, messieurs, la vertu ne paie pas.

Il les regarda tour à tour bien en face :

— J'espère que ma franchise ne vous choque pas. Mais après tout, c'est la vérité que vous cherchez. Vous finirez bien par sortir tout le linge sale de la famille au grand jour, alors autant déballer le mien tout de suite. Je ne suis pas particulièrement affligé par la mort de mon père — après tout, je n'avais pas vu la vieille canaille depuis mon jeune âge — mais enfin, c'était quand même mon père, et il a été assassiné. Je vous garantis que je suis cent pour cent décidé à ce qu'on fasse payer le meurtrier !

Il serra les mâchoires et les défia du regard :

— Nous sommes assez portés sur la vengeance, dans la famille. Un Lee, ça n'oublie pas facilement. Je veux être sûr et certain que le meurtrier de mon père sera pendu.

— Je pense que vous pouvez vous en remettre à nous pour ça, Mr Lee, dit Sugden.

— Si vous ne le faites pas, je me rendrai justice moi-même ! fanfaronna Harry.

Le chef de la police réagit aussitôt :

— Auriez-vous des soupçons sur l'identité du meurtrier, Mr Lee ?

Harry secoua la tête.

— Non, pas le moindre, dit-il lentement. Vous savez, ça vous flanque un coup, parce que plus j'y réfléchis, moins je vois comment ça pourrait être quelqu'un de l'extérieur...

— Ah ! dit Sugden en hochant la tête.

— Ce qui revient à décréter, poursuivit Harry, que c'est forcément quelqu'un de la maison. Mais qui diable aurait pu faire ça ? Impossible de soupçonner les domestiques. Tressilian est ici de fondation. Le valet de pied à moitié idiot ? Jamais de la vie. Il est vrai que Horbury est un drôle de client, mais Tressilian m'a dit qu'il était allé au cinéma. Alors, que reste-t-il ? À part Stephen Farr — et pourquoi diable Stephen Farr serait-il venu du fin fond de l'Afrique du Sud assassiner un parfait étranger ? —, il n'y a plus que la famille. Et j'ai beau tortiller ça dans tous les sens, je n'arrive pas à imaginer l'un d'entre nous faisant ça. Alfred ? Il adorait son père. George ? Il n'en aurait pas le cran. David ? David a toujours été dans la lune. Il tomberait dans les pommes s'il s'écorchait un doigt. Leurs femmes ? Les femmes n'égorgent pas des hommes de sang-froid. Qui, alors ? Je donnerais cher pour le savoir. Parce que ce genre de situation, c'est pas pour dire, mais ça crée un fichu malaise.

Le colonel Johnson s'éclaircit la gorge — un tic professionnel — pour demander :

— Quand avez-vous vu votre père pour la dernière fois ?

— Après le thé. Il venait tout juste de se chamailler avec Alfred — au sujet de votre humble serviteur. Le vieux s'ennuyait tout seul. Il aimait bien faire battre les montagnes. À mon avis, c'est pour ça qu'il n'a pas averti les autres de mon arrivée. Il voulait voir voler les coups quand je débarquerais à l'improviste ! C'est aussi pour ça qu'il a parlé de modifier son testament.

Poirot s'agita quelque peu.

— Votre père a évoqué son testament ? murmura-t-il.

— Oui, devant nous tous, en nous surveillant du coin de l'œil, comme un matou, pour voir comment nous allions réagir. Il a simplement dit à son notaire de passer le voir après Noël.

— Et quelles modifications envisageait-il ?

Harry Lee eut un large sourire :

— Ça, il ne nous l'a pas dit ! Vous pouvez faire confiance au vieux renard ! J'imaginais — allez, j'espérais — que c'était en faveur de votre humble serviteur ! Je me doute bien qu'il m'avait rayé de ses testaments précédents. Mais là, j'ai dans l'idée que j'allais être réintégré. Sale coup pour les autres ! Pilar, également : il s'était pris d'affection pour elle. À mon avis, elle y était pour une belle part. Vous ne l'avez pas encore vue ? C'est ma nièce espagnole. C'est une beauté, Pilar ! Toute la chaleur du Sud — et toute sa cruauté. J'aimerais bien être autre chose que son oncle !

— Vous dites que votre père l'avait prise en affection ?

Harry hocha la tête.

— Elle savait y faire, avec le vieux. Et que je m'asseye près de lui... et que je l'écoute bavasser en ouvrant de grands yeux étonnés ! Elle savait ce qu'elle voulait, je vous en fiche mon billet ! Enfin, il est mort, à présent. Il n'y aura pas de modifications en faveur de Pilar — pas plus qu'en la mienne, d'ailleurs : dommage !

Il fronça les sourcils, absorbé dans ses réflexions, puis reprit d'une voix changée :

— Mais je m'égare. Vous vouliez savoir quand j'avais vu mon père pour la dernière fois ? Comme je vous l'ai dit, c'était après le thé, un peu après 6 heures. Le vieux était de bonne humeur, à ce moment-là. Un peu fatigué, peut-être. Je suis parti et je l'ai laissé avec Horbury. Je ne l'ai jamais revu.

— Où étiez-vous au moment de sa mort ?

— Dans la salle à manger avec frère Alfred. Et pas pour une paisible conversation d'après-dîner. Nous étions au beau milieu d'une explication assez rude quand nous avons entendu le boucan à l'étage. On aurait dit qu'une dizaine de bonshommes s'empoignaient là-haut. Et puis, mon pauvre vieux père s'est mis à hurler. Comme un porc qu'on égorge. Ça a

paralysé Alfred. Il restait là, la mâchoire pendante...
J'ai dû le secouer un bon coup. Nous avons couru au
premier. La porte était bouclée. Il a fallu l'enfoncer.
Et ça n'a pas été une mince affaire ! Comment diable
cette porte avait-elle bien pu être fermée à clé, je me
le demande ! Il n'y avait personne dans la pièce à part
Père, et je veux bien être pendu si quelqu'un a pu
s'enfuir par les fenêtres !

— La porte avait été fermée de l'extérieur, dit
Sugden.

— Quoi ? dit Harry d'un air stupéfait. Mais
j'aurais juré que la clé était à *l'intérieur !*

— Ainsi, vous avez remarqué cela ? murmura Poirot.

— J'ai l'œil, répliqua Harry. C'est un don, chez
moi.

Il dévisagea ses trois interlocuteurs :

— Y a-t-il autre chose que vous aimeriez savoir,
messieurs ?

Johnson secoua la tête :

— Merci, Mr Lee, pas pour le moment. Pouvez-
vous demander au suivant de nous rejoindre ici ?

— Mais certainement.

Il se leva et sortit sans se retourner.

Les trois hommes échangèrent un regard. Le colonel Johnson se chargea de conclure :

— Qu'en pensez-vous, Sugden ?

Le superintendant fit une moue dubitative :

— Il a peur de quelque chose. Je me demande bien
pourquoi...

11

Magdalene Lee garda la pose quelques secondes, effleurant d'une main fine la soie platine de sa chevelure. Sa robe de velours vert soulignait la moindre de ses courbes gracieuses. Elle avait l'air très jeune et un peu effrayée.

Les trois hommes restèrent un instant immobiles, les yeux braqués sur elle. Ceux de Johnson exprimaient la surprise et l'admiration. Ceux de Sugden ne montraient rien, sinon l'impatience d'un homme désireux de poursuivre son travail. Quant au regard de Poirot, il lui rendait un vibrant hommage, comme elle ne manqua pas de s'en apercevoir — hommage, cependant, qui n'allait pas tant à sa beauté qu'à sa façon de s'en servir. Elle ne se doutait pas qu'il songeait en lui-même et dans sa langue maternelle par-dessus le marché :

« *Joli mannequin, la petite. Mais elle a les yeux durs.* »

Le colonel Johnson se disait :

« Sacrément jolie fille. George Lee va avoir des ennuis avec elle s'il ne veille pas au grain. En voilà une qui s'y connaît en hommes. »

Le superintendant Sugden pensait :

« Une poupée sans cervelle. Espérons qu'on en aura vite fini avec elle. »

— Voulez-vous vous asseoir, Mrs Lee ? Voyons, vous êtes...

— Mrs George Lee.

Elle accepta le fauteuil avec un doux sourire de gratitude. « Au fond, semblait dire son regard, bien que vous *soyez* un homme et un policier, vous n'êtes après tout pas si terrible. »

Le sourire incluait Poirot. Les étrangers étaient si chatouilleux quand il s'agissait de femmes. Quant au superintendant Sugden, elle ne s'en soucia pas.

— Tout cela est affreux. J'ai tellement peur ! murmura-t-elle, en se tordant les mains dans un joli geste de détresse.

— Allons, allons, Mrs Lee, dit gentiment mais fermement le colonel Johnson. Ç'a été un grand choc, je sais, mais c'est fini, maintenant. Tout ce que nous voulons, c'est entendre votre relation des événements de la soirée.

— Mais je ne sais rien ! s'écria-t-elle. Je vous assure !

Pendant un instant, les yeux du chef de la police ne furent plus que deux fentes.

— Non, bien sûr..., dit-il doucement.

— Nous ne sommes arrivés qu'hier. C'est George qui a *tenu* à ce que je vienne pour Noël. Si seulement nous nous étions abstenus ! Je sais que je ne serai plus jamais la même.

— Oui, c'est bouleversant, bien sûr.

— Voyez-vous, je connais à peine la famille de George. Je n'ai vu Mr Lee qu'à une ou deux reprises — pour notre mariage, et puis une autre fois. Bien sûr, j'ai vu Alfred et Lydia plus souvent, mais ce sont quand même tous de parfaits étrangers pour moi.

De nouveau, elle fit ses grands yeux d'enfant effrayé. De nouveau, Hercule Poirot apprécia. Et, de nouveau, il songea en français :

« *Elle joue très bien la comédie, cette petite...* »

— Bien sûr, bien sûr, reprit le colonel Johnson. À

présent, parlez-nous de la dernière fois où vous avez vu votre beau-père vivant.

— Oh, *ça !* Ça, c'était cet après-midi. Ç'a été atroce.

— Atroce ? Pourquoi, atroce ? demanda vivement Johnson.

— Ils étaient dans une telle colère !

— Qui était en colère ?

— Oh, tous... Je ne parle pas de George. Son père ne lui a rien dit. Mais tous les autres.

— Que s'est-il passé, au juste ?

— Eh bien, quand nous sommes arrivés là-haut — il nous avait tous convoqués —, il était au téléphone avec son notaire. Il parlait de son testament. Et puis il a demandé à Alfred pourquoi il faisait une tête de dix pieds. Je crois que c'était parce que Harry revenait vivre à la maison. Ça contrariait beaucoup Alfred, à mon avis. Vous comprenez, Harry a fait quelque chose de très mal, dans le temps. Et puis, il a dit quelque chose au sujet de sa femme — elle est morte depuis longtemps, mais il a dit qu'elle avait autant de cervelle qu'un moineau — il a dit un piaf —, et David a bondi et l'a regardé comme s'il avait envie de le tuer... Oh !

Elle s'arrêta brusquement, l'air effrayé :

— Ce n'est pas ce que j'ai voulu dire ! Ce n'est pas du tout ce que j'ai voulu dire !

— Bien sûr, acquiesça le colonel Johnson d'un ton apaisant. Simple façon de parler, voilà tout.

— Hilda — c'est la femme de David — l'a calmé, et puis... Je crois bien que c'est tout. Mr Lee a dit qu'il ne voulait plus voir personne ce soir, alors nous sommes tous sortis.

— Et c'est la dernière fois que vous l'avez vu ?

— Oui. Jusqu'à... Jusqu'à.

Elle frissonna.

— Oui bien sûr, dit le colonel Johnson. À présent, où étiez-vous au moment du crime ?

— Oh... Eh bien... Je crois que j'étais dans le salon.

— Vous n'en êtes pas sûre ?

Le regard de Magdalene vacilla un peu. Elle battit des paupières.

— Oh, mais si ! Que je suis bête. J'étais allée téléphoner. Je ne sais plus où j'ai la tête.

— Vous étiez au téléphone, dites-vous. Dans cette pièce ?

— Oui, c'est le seul téléphone de la maison, à part celui qui se trouve dans la chambre de mon beau-père.

— Y avait-il quelqu'un d'autre dans la pièce avec vous ? demanda Sugden.

Elle ouvrit de grands yeux.

— Oh, non, j'étais toute seule.

— Vous êtes restée là longtemps ?

— Eh bien... un petit moment. C'est assez long d'obtenir une communication le soir.

— C'était un appel interurbain, alors ?

— Oui... à Westeringham.

— Je vois.

— Et ensuite ?

— Ensuite, il y a eu ce cri horrible, et tout le monde s'est mis à courir, et la porte était fermée à double tour et il a fallu l'enfoncer. Oh, quel *cauchemar* ! Je m'en souviendrai toute ma vie !

— Mais non, mais non, la réconforta machinalement le colonel Johnson qui enchaîna : Saviez-vous que votre beau-père conservait dans son coffre des diamants d'une grande valeur ?

— Non, pas possible ? (Le ton marquait une franche excitation :) De vrais diamants ?

— Des diamants d'une valeur d'environ dix mille livres, précisa Hercule Poirot.

— Oh !

Ce n'avait guère été qu'un petit hoquet — mais dans ce petit hoquet il y avait la quintessence de la cupidité féminine.

— Eh bien, dit le colonel Johnson, je crois que ce sera tout. Nous ne vous ennuierons pas davantage, Mrs Lee.

— Oh, merci !

Elle se leva, lança à Johnson et à Poirot un sourire de petite fille reconnaissante, puis sortit, cambrée, la tête haute, et les paumes offertes.

Le colonel Johnson se leva pour la rappeler :

— Voudriez-vous demander à votre beau-frère, Mr David Lee, de venir ?

Il referma la porte et revint s'asseoir.

— Eh bien, dit-il, qu'en pensez-vous ? Nous tenons un petit quelque chose enfin ! Vous aurez remarqué : George Lee était au téléphone quand il a entendu le cri ! Sa femme téléphonait quand elle l'a entendu ! Ça ne colle pas — ça ne colle pas du tout. Qu'en pensez-vous, Sugden ?

— Sans vouloir offenser cette personne, répondit lentement le superintendant, elle est certainement imbattable pour faire casquer un bonhomme, mais pour ce qui est de lui couper la gorge, alors là, non, je ne crois pas du tout qu'elle en ait le cran.

— On ne sait jamais, mon vieux, murmura Poirot.

Le chef de la police se tourna vers lui :

— Et vous, Poirot, qu'en pensez-vous ?

Hercule Poirot se pencha sur le bureau, remit le sous-main d'aplomb, chassa du doigt une infime poussière sur un chandelier, et se décida :

— Je dirai que le caractère de feu Mr Simeon Lee commence à se dessiner. C'est là, je crois, que se trouve le nœud de l'affaire — dans le caractère du défunt.

Le superintendant Sugden parut désorienté :

— Je ne vous suis pas très bien, monsieur Poirot. Qu'est-ce que le caractère de la victime a à voir avec son assassinat ?

— Le caractère de la victime, dit rêveusement Poirot, a toujours quelque chose à voir avec son assassinat. L'âme franche et candide de Desdémone a été la cause directe de sa mort. Une femme plus soupçonneuse aurait compris les machinations de Iago et les aurait prévenues beaucoup plus tôt. La maladie de Marat a permis qu'il soit assassiné dans son bain. La fougue de Mercutio lui a valu de mourir par l'épée.

Le colonel Johnson tirailla sa moustache :

— Où voulez-vous en venir, Poirot ?

— Je dis que, parce que Simeon Lee était un certain type d'homme, il a mis en mouvement certaines forces, lesquelles forces ont finalement causé sa mort.

— Alors vous pensez que l'histoire des diamants n'a rien à voir avec le meurtre ?

Poirot sourit de la franche perplexité qui se peignait sur le visage de Johnson.

— Mon cher, dit-il, c'est bien parce que Simeon Lee avait ce caractère particulier qu'il gardait plusieurs milliers de livres de diamants bruts dans son coffre ! Ce n'est pas là le comportement de tout un chacun.

— Ça, c'est bien vrai, monsieur Poirot, dit le superintendant Sugden de l'air d'un homme qui voit enfin où veut en venir son interlocuteur. Pour un type bizarre, c'était un type bizarre, Mr Lee. Il gardait ces pierres pour pouvoir les regarder, les tripoter, retrouver les sensations d'autrefois. Je vous fiche mon billet que c'est pour ça qu'il ne les a jamais fait tailler.

Poirot hocha la tête avec énergie :

— Précisément, précisément ! Je vois que vous ne manquez pas de perspicacité, superintendant.

Le colonel Johnson ne laissa pas à son subordonné le temps de décider s'il s'agissait d'un compliment :

— Il y a encore autre chose, Poirot. Je ne sais pas si cela vous a frappé...

— Mais si, dit Poirot. Je sais ce que vous voulez dire. Mrs George Lee nous en a appris un peu plus qu'elle ne croit ! Elle nous a donné une impression assez éloquente de la dernière réunion de famille. Elle nous a raconté — oh, en toute ingénuité ! — qu'Alfred faisait la tête à son père, et que David avait l'air « d'avoir envie de le tuer ». Les deux affirmations, je pense, sont exactes. Mais on peut aussi en inférer d'autres choses. Pourquoi Simeon Lee les a-t-il réunis ? Pourquoi sont-ils arrivés à temps pour l'entendre téléphoner à son notaire ? Parbleu, ce n'était pas un hasard, ça ! Il *voulait* qu'ils entendent ! Ce pauvre vieux, il est cloué dans son fauteuil et il a perdu toutes les distractions de sa jeunesse. Alors, il s'en invente une nouvelle. Il s'amuse à jouer sur la cupidité de la nature humaine — oui, et sur ses émotions, et ses passions aussi ! Mais de là, nous pouvons tirer une autre déduction. Dans ce jeu qui consiste à exciter la convoitise, le ressentiment de ses enfants, il n'aurait certainement épargné personne. Donc, logiquement, Mr George Lee a dû en prendre pour son grade, tout comme les autres ! Sa femme se tait prudemment là-dessus. À elle aussi, il a très bien pu envoyer une ou deux flèches empoisonnées. Nous saurons par les autres, je pense, ce que Simeon Lee avait à dire à George Lee et à sa femme...

Il s'interrompit. La porte venait de s'ouvrir et David Lee entra.

12

David Lee se contrôlait bien. Il paraissait calme — presque anormalement calme, en fait. Il vint vers eux, approcha une chaise et s'assit en posant sur le colonel Johnson un regard grave et interrogateur.

La lumière frappait la mèche de cheveux blonds qui retombait sur son front et accentuait le délicat modelé de ses pommettes. Il semblait absurdement jeune pour être le fils du vieil homme desséché qui gisait au premier étage.

— Eh bien, messieurs, que puis-je vous dire ?

Le colonel Johnson prit la parole :

— Je crois comprendre, Mr Lee, qu'il y a eu cet après-midi une sorte de réunion de famille dans la chambre de votre père ?

— En effet. Mais rien d'officiel. Je veux dire que ce n'était pas un conseil de famille, ni quoi que ce soit de ce genre.

— Que s'est-il passé ?

— Mon père était d'humeur dangereuse, expliqua David. C'était un vieil homme invalide, bien sûr, il faut en tenir compte. Mais il semblait ne nous avoir réunis que pour... eh bien... pour nous cracher son mépris.

— Vous rappelez-vous ce qu'il a dit ?

— Des choses assez démentes, dit placidement

David. Il a dit que nous ne valions rien, tous autant que nous étions, qu'il n'y avait pas un seul homme dans la famille ! Il a dit que Pilar — c'est ma nièce espagnole — valait mieux à elle seule que nous tous réunis. Il a dit...

David s'interrompit. Poirot l'encouragea :

— Je vous en prie, Mr Lee, les termes exacts, si vous le pouvez.

— C'était des propos assez grossiers, répondit David avec réticence. Il a dit qu'il était bien sûr d'avoir quelque part des fils un peu mieux que nous, même si eux étaient de la main gauche...

On pouvait lire sur son visage sensible le dégoût que lui inspiraient les paroles qu'il répétait. Le superintendant Sugden s'anima soudain :

— Votre père s'en est-il pris en particulier à votre frère, Mr George Lee ?

— À George ? Je ne m'en souviens pas. Ah si, je crois qu'il lui a dit qu'il devrait limiter ses dépenses à l'avenir, parce qu'il comptait réduire sa pension. George a accusé le coup. Il est devenu rouge tomate, il a bredouillé qu'il ne pouvait pas s'en sortir avec moins. Mon père a répondu froidement qu'il le faudrait bien. Il lui a conseillé de demander à sa femme de l'aider à faire des économies. Ça, c'était un coup bas : c'est George, l'économe — il rogne sur tout, sur des bouts de chandelles. Et Magdalene doit jeter l'argent par les fenêtres — elle a des goûts extravagants.

— Si bien, dit Poirot, qu'elle aussi devait être furieuse ?

— Oui. D'autant que mon père lui a envoyé un autre coup assez raide en évoquant sa vie avec un officier de marine. Il parlait de son père, bien sûr, mais dans sa bouche, ça prenait un sens assez scabreux. Magdalene est devenue écarlate. Je la comprends.

— Votre père a-t-il mentionné sa défunte femme, votre mère ?

Le sang monta au front de David. Ses mains agrippèrent le bord de la table en tremblant.

— Oui, il en a parlé. Il l'a insultée, dit-il d'une voix étouffée.

— Qu'a-t-il dit ? demanda le colonel Johnson.

— Je ne m'en souviens plus. Une remarque méprisante, en passant.

Poirot prit sa voix la plus douce :

— Cela fait longtemps que votre mère est morte ?

— Elle est morte quand j'étais enfant, répondit brièvement David.

— Elle n'était... peut-être... pas très heureuse, ici ?

David eut un rire amer :

— Qui pourrait être heureux avec un homme comme mon père ? Ma mère était une sainte. Elle est morte le cœur brisé.

— Votre père a peut-être été très affecté par sa mort ?

— Je ne sais pas, dit David sèchement. J'ai quitté la maison.

Il fit une pause avant d'ajouter :

— Vous l'ignorez peut-être, mais je n'avais pas revu mon père depuis vingt ans. Alors, vous voyez, je ne peux pas vous dire grand-chose de ses habitudes, de ses ennemis, ou de ce qui se passait ici.

— Saviez-vous que votre père conservait des diamants d'une grande valeur dans le coffre de sa chambre ? demanda le colonel Johnson.

David accueillit l'information avec indifférence :

— Vraiment ? Cela paraît une idée bien stupide.

— Pouvez-vous nous raconter brièvement ce que vous avez fait au cours de la soirée ?

— Moi ? Oh, je me suis levé de table assez rapidement. Ça m'assomme, ces séances autour d'un vieux porto. Et puis je voyais bien qu'Alfred et Harry s'apprêtaient à se voler dans les plumes. J'ai horreur des disputes. Je me suis éclipsé, je suis allé dans la salle de musique et j'ai joué du piano.

— La salle de musique, intervint Poirot, est contiguë au salon, n'est-ce pas ?

— Oui. J'ai joué un certain temps, jusqu'à ce que... jusqu'à ce que ça arrive.

— Qu'avez-vous entendu exactement ?

— Oh ! Un bruit assourdi de meubles renversés quelque part au premier. Et puis un cri épouvantable. (Ses mains se crispèrent de nouveau.) Le cri d'une âme en enfer. Seigneur, c'était atroce !

— Étiez-vous seul dans la salle de musique ? demanda Johnson.

— Hein ? Non, Hilda, ma femme, était là. Elle m'avait rejoint, du salon. Nous... nous sommes montés en même temps que les autres...

Il ajouta rapidement, avec nervosité :

— Vous ne voulez pas, n'est-ce pas, que je vous décrive ce que j'ai vu là-haut ?

— Non, non, dit Johnson, tout à fait inutile. Merci, Mr Lee, ce sera tout. Vous n'imaginez pas, je suppose, qui aurait pu vouloir assassiner votre père ?

— Oh, à mon avis... des tas de gens ! répondit David avec insouciance. Mais je ne vois personne en particulier.

Il sortit d'un pas vif et referma bruyamment la porte derrière lui.

13

Le colonel Johnson eut à peine le temps de s'éclaircir la gorge que déjà la porte s'ouvrait, livrant passage à Hilda Lee.

Hercule Poirot la contempla avec intérêt. Il lui fallait admettre que les femmes de ces Lee formaient un
groupe remarquable. La vive intelligence et l'élégance de lévrier de Lydia, les grâces affectées de
Magdalene, et à présent la force solide et rassurante
de Hilda. Il s'aperçut qu'elle était plus jeune que sa
coiffure et ses vêtements démodés ne la faisaient
paraître. Aucun fil gris dans ses cheveux châtains et
ses calmes yeux noisette brillaient dans son visage
un peu rond comme deux phares de gentillesse. Il se
dit que c'était une femme bien.

Le colonel Johnson avait sorti son ton le plus
aimable :

— ... Une épreuve pour vous tous, disait-il. J'ai
appris par votre mari que c'est la première fois que
vous venez à Gorston Hall, Mrs Lee ?

Elle acquiesça de la tête.

— Aviez-vous déjà rencontré votre beau-père ?

— Non, répondit Hilda de sa voix chaleureuse.
Nous nous sommes mariés peu après que David a
quitté la maison de son père. Il ne voulait rien avoir à

faire avec sa famille. Jusque-là, je ne connaissais aucun d'eux.

— Comment cette visite s'est-elle donc décidée ?

— Mon beau-père a écrit à David. Il parlait de son grand âge et de son désir d'avoir tous ses enfants auprès de lui pour Noël.

— Et votre mari a répondu à cet appel ?

— C'est moi, j'en ai peur, qui l'ai poussé à accepter... Je n'avais pas bien... apprécié la situation.

— Auriez-vous la bonté de vous expliquer un peu plus clairement, madame ? intervint Poirot. Je crois que ce que vous nous direz pourrait nous être utile.

Elle se tourna aussitôt vers lui :

— À ce moment-là, je n'avais encore jamais vu mon beau-père. J'ignorais tout de ses intentions réelles. J'ai pensé que c'était un vieillard esseulé et qu'il souhaitait vraiment se réconcilier avec ses enfants.

— Et selon vous, madame, quel était son véritable motif ?

Hilda hésita un moment avant de répondre lentement :

— Il me paraît tout à fait clair que mon beau-père ne cherchait pas à faire la paix, mais à susciter de nouveaux conflits.

— De quelle façon ?

— Cela l'amusait de réveiller les pires instincts de la nature humaine. Il y avait en lui... comment dire ? Une sorte de malice diabolique. Il voulait que chaque membre de la famille soit à couteaux tirés avec les autres.

— Et y est-il parvenu ? demanda vivement Johnson.

— Oh, oui, dit Hilda. Il y est parvenu.

— Nous avons entendu parler, madame, reprit Poirot, d'une scène qui a eu lieu cet après-midi. Une scène assez violente, n'est-ce pas ?

Elle inclina la tête.

— Pourriez-vous nous la décrire, le plus fidèlement possible, s'il vous plaît ?

Elle réfléchit quelques instants :

— Quand nous sommes entrés, mon beau-père était au téléphone.

— Avec son notaire, si j'ai bien compris ?

— Oui, il suggérait que Mr... était-ce Charlton ? je ne sais plus au juste... vienne le voir parce qu'il voulait modifier son testament. L'ancien, disait-il, était totalement périmé.

— Réfléchissez bien, madame, dit Poirot. À votre avis, votre beau-père a-t-il délibérément fait en sorte que vous entendiez tous cette conversation, ou l'avez-vous surprise simplement par *hasard* ?

— Je suis pratiquement certaine qu'il voulait que nous l'entendions.

— Dans le but de semer le doute et le soupçon parmi vous ?

— Oui.

— De sorte qu'il n'avait peut-être nullement l'intention de modifier son testament ?

— Non, je crois qu'une partie de cette comédie était vraie. Il souhaitait sans doute rédiger un nouveau testament, mais cela l'amusait beaucoup de nous le faire savoir.

— Madame, reprit Poirot, je n'ai pas ici de fonction officielle et mes questions, vous le comprendrez, ne sont peut-être pas celles que vous poserait un représentant de la loi britannique. Mais j'aimerais beaucoup que vous me disiez ce qu'à votre avis aurait contenu ce nouveau testament. Je vous demande non pas ce que vous savez, bien entendu, mais simplement votre opinion. Les femmes ont vite fait de se former une opinion, Dieu merci !

Hilda Lee eut un petit sourire :

— Cela ne me gêne nullement de vous dire ce que je pense. Jennifer, la sœur de mon mari, avait épousé un Espagnol, Juan Estravados. Sa fille, Pilar, vient juste d'arriver ici. C'est une très jolie fille, et c'est aussi le seul petit-enfant de la famille. Le vieux Mr Lee était enchanté de sa présence. Elle lui a tout de suite plu énormément. Selon moi, il désirait lui laisser une somme considérable. Sans doute ne lui avait-il laissé qu'une petite part, ou même rien du tout, dans son précédent testament.

— Connaissiez-vous votre belle-sœur ?

— Non, je ne l'ai jamais rencontrée. Je crois que son mari espagnol est mort dans des circonstances tragiques peu après leur mariage. Jennifer elle-même est morte voici un an. Pilar était donc seule au monde. C'est pourquoi Mr Lee lui a proposé de venir vivre avec lui en Angleterre.

— Et les autres membres de la famille, comment l'ont-ils accueillie ?

— Je crois que tout le monde l'aime bien. C'était très agréable d'avoir quelqu'un de jeune et de vivant dans la maison.

— Et elle, avait-elle l'air heureuse ici ?

— Je ne sais pas, dit lentement Hilda. L'endroit doit sembler plutôt froid et bizarre à une fille qui a grandi dans le Sud — en Espagne.

— Encore que ça ne doit pas être très drôle d'être en Espagne en ce moment, intervint Johnson. À présent, Mrs Lee, nous aimerions entendre votre récit de la réunion de cet après-midi.

— Pardonnez-moi, murmura Poirot. C'est moi qui suis responsable de toutes ces digressions.

— Une fois que mon beau-père a eu fini de téléphoner, reprit Hilda Lee, il nous a regardés et s'est mis à rire en disant que nous faisions tous de drôles de têtes. Et puis il a dit qu'il était fatigué et qu'il voulait se coucher tôt. Personne ne devait monter le voir dans la soirée. Il a dit qu'il voulait être en forme pour le jour de Noël, quelque chose dans ce goût-là.

» Ensuite... (Sourcils froncés, elle rassembla ses souvenirs :) ...je crois qu'il a ajouté quelque chose sur la nécessité de faire partie d'une grande famille pour fêter dignement Noël, et puis il s'est mis à parler d'argent. Il a dit à George et Magdalene que son train de maison allait être plus important désormais, et qu'il leur faudrait économiser. Il a suggéré à Magdalene de faire elle-même ses robes. Idée un peu vieux-jeu, j'en ai peur. Je comprends qu'elle l'ait mal pris. Il a dit que sa propre femme excellait aux travaux d'aiguille.

— Est-ce tout ce qu'il a dit à son propos ? demanda doucement Poirot.

Hilda rougit :

— Il a fait une allusion désobligeante à son intelligence. Mon mari était très attaché à sa mère, et ça l'a profondément blessé. Et puis, d'un seul coup, Mr Lee s'est mis à crier après nous. Il s'y était préparé, je pense. Bien sûr, je peux comprendre ce qu'il ressentait...

— Et que ressentait-il ? interrompit Poirot de la même voix douce.

Elle tourna vers lui ses yeux tranquilles :

— Il était déçu, bien sûr, parce qu'il n'y a pas de petits-enfants, pas de garçons, s'entend, pas de Lee pour le continuer. Il devait avoir ça sur le cœur depuis longtemps. Alors soudain, il n'a pas pu se retenir davantage et il a passé sa colère sur ses fils en les traitant de femmelettes incapables — quelque chose de ce genre. J'en étais désolée pour lui, parce que j'ai compris à quel point il souffrait dans son orgueil.

— Et ensuite ?

— Et ensuite, dit lentement Hilda, nous sommes tous sortis.

— C'est la dernière fois que vous l'avez vu ?

Elle hocha la tête.

— Où étiez-vous au moment du crime ?

— J'étais avec mon mari dans la salle de musique. Il jouait pour moi.

— Et ensuite ?

— Nous avons entendu des tables et des fauteuils renversés au premier, de la porcelaine brisée... une bagarre terrible. Et puis, ce cri horrible quand on lui a coupé la gorge...

— Était-ce vraiment un cri si affreux ?

Poirot marqua un temps :

— Était-ce... *le cri d'une âme en enfer* ?

— C'était pire que cela !

— Que voulez-vous dire, madame ?

— C'était le cri... le cri de quelqu'un *qui n'aurait pas eu d'âme.* C'était inhumain, c'était le hurlement d'une bête...

— C'est ainsi... que vous l'avez jugé, madame ? dit gravement Poirot.

Elle l'arrêta d'un geste douloureux. Puis elle baissa les yeux et contempla obstinément le sol.

14

Pilar entra dans la pièce avec la méfiance d'un animal qui flaire un piège. Ses yeux allaient rapidement d'un homme à l'autre. Elle avait l'air plus soupçonneuse que vraiment effrayée.

Le colonel Johnson se leva pour lui offrir un fauteuil :

— Je suppose que vous comprenez l'anglais, miss Estravados ?

Pilar ouvrit de grands yeux :

— Bien sûr. Ma mère était anglaise. Je suis très anglaise moi-même.

Un léger sourire passa sur les lèvres du colonel Johnson, tandis qu'il notait l'éclat sombre de la chevelure, le fier regard noir et la belle bouche rouge. Très anglaise, vraiment ! Un qualificatif bien incongru pour Pilar Estravados.

— Mr Lee était votre grand-père, reprit-il. Il vous a fait venir d'Espagne et vous êtes arrivée il y a quelques jours. C'est bien cela ?

Pilar hocha la tête :

— C'est cela. Oh, ça a été toute une aventure de traverser l'Espagne. Une bombe est tombée et le chauffeur a été tué — il n'y avait plus que du sang là où il y avait eu sa tête. Et je ne sais pas conduire, alors j'ai dû marcher pendant des kilomètres, et j'ai horreur de marcher. Je ne marche jamais. J'avais mal aux pieds, mais mal... !

Le colonel Johnson sourit :

— Enfin, vous avez fini par arriver. Votre mère vous avait-elle beaucoup parlé de votre grand-père ?

Pilar hocha joyeusement la tête :

— Oh oui ! Elle disait que c'était un vieux sacripant.

Hercule Poirot ne put retenir un sourire.

— Et qu'avez-vous pensé de lui à votre arrivée, mademoiselle ?

— Oh, bien sûr, qu'il était très, très vieux. Il devait rester toute la journée dans son fauteuil, et son visage était tout desséché. Mais je l'aimais bien quand même. Je pense que quand il était jeune, il a dû être très beau — beau... comme vous, dit Pilar en s'adressant au superintendant Sugden.

Ses yeux s'attardèrent avec un plaisir naïf sur le visage viril du policier, lequel était devenu rouge brique sous le compliment.

Le colonel Johnson retint un gloussement. C'était l'une des rares fois où il lui avait été donné de voir le flegmatique superintendant perdre contenance.

— Mais bien sûr, continua Pilar avec une note de regret, il n'a jamais dû être aussi bien bâti que vous.

Hercule Poirot soupira.

— Vous aimez les hommes grands, señorita ? demanda-t-il.

Pilar acquiesça avec enthousiasme :

— Oh, oui ! J'aime qu'un homme soit très grand, bien bâti, avec des épaules larges, et très, très fort...

— Avez-vous passé beaucoup de temps avec votre grand-père depuis que vous êtes ici ? coupa le colonel Johnson.

— Oh, oui ! J'allais m'asseoir près de lui et il me racontait des choses — quel sale type il avait été, et tout ce qu'il avait fait en Afrique du Sud...

— Vous a-t-il jamais dit qu'il avait des diamants dans le coffre de sa chambre ?

— Oui, il me les a montrés. Mais ça ne ressemblait pas à des diamants. C'était comme des cailloux, très moches, très, très moches.

— Ainsi, il vous les a montrés ? souligna le super-intendant.

— Oui.

— Il ne vous en a pas donné un ?

Pilar secoua la tête :

— Non. Je pensais qu'il le ferait peut-être un jour, si j'étais très gentille et si je venais souvent m'asseoir près de lui. Parce que les vieux messieurs, ça aime beaucoup les jeunes filles.

— Savez-vous que ces diamants ont été volés ? demanda le colonel Johnson.

Pilar ouvrit des yeux démesurés :

— Volés ?

— Oui. Avez-vous la moindre idée de qui peut les avoir pris ?

— Oh, oui ! Ça doit être Horbury.

— Horbury ? Vous voulez dire le valet ?

— Oui.

— Qu'est-ce qui vous fait penser cela ?

— Parce qu'il a une tête de voleur. Ses yeux font comme ça, de tous les côtés, il marche doucement et il écoute aux portes. Il est comme un chat. Et les chats sont voleurs.

— Hum..., dit le colonel Johnson. Laissons cela pour l'instant. Je crois savoir que toute la famille était réunie dans la chambre de votre grand-père cet après-midi, et qu'il y a eu... hum... quelques mots échangés...

Pilar hocha la tête en souriant.

— Oui, dit-elle. C'était très amusant. Grand-père les a mis dans une de ces colères !

— Ah, ça vous a plu, ça ?

— Oui. J'aime bien quand les gens se mettent en

colère. J'adore ça. Mais en Angleterre, les gens ne se fâchent pas comme en Espagne. En Espagne, ils sortent leurs couteaux et ils jurent et ils crient. En Angleterre ils ne font rien, ils deviennent très rouges et ils serrent très fort les lèvres.

— Vous rappelez-vous ce qu'on a dit ?

Pilar eut l'air assez incertain :

— Je n'en suis pas sûre. Grand-père a dit qu'ils n'étaient bons à rien parce qu'ils n'avaient pas d'enfants. Il a dit que je valais mieux qu'eux tous réunis. Il m'aimait beaucoup.

— A-t-il parlé d'argent ou d'un testament ?

— Un testament, non, je ne crois pas. Je ne m'en souviens pas.

— Que s'est-il passé ensuite ?

— Ils sont tous sortis, sauf Hilda, la grosse, la femme de David. Elle est restée derrière.

— Oh, vraiment ?

— Oui. David avait l'air très bizarre. Il était tout tremblant et tout pâle. On aurait dit qu'il allait être malade.

— Et ensuite ?

— Ensuite je suis allée retrouver Stephen. Nous avons dansé au son du gramophone.

— Stephen Farr ?

— Oui. Il vient d'Afrique du Sud — c'est le fils de l'ancien associé de grand-père. Il est très beau, lui aussi. Il est très grand, très viril et très bronzé, et il a de beaux yeux.

— Où étiez-vous au moment du crime ? demanda Johnson.

— Vous me demandez où j'étais ?

— Oui.

— J'étais allée au salon avec Lydia. Après, je suis montée dans ma chambre et je me suis maquillée pour retourner danser avec Stephen. Et puis, très loin, j'ai entendu un cri et tout le monde s'est mis à courir, alors j'ai fait pareil. Et là, ils étaient en train d'essayer d'enfoncer la porte de grand-père. C'était Harry qui faisait ça avec Stephen, ils sont tous les deux grands et forts.

— Oui ?

— Et alors, crac, la porte est tombée et on a tous regardé à l'intérieur. Oh, quel spectacle ! Tout était sens dessus dessous, et grand-père était allongé dans une mare de sang, et il avait la gorge tranchée comme ça (elle fit un geste terriblement expressif sur son propre cou) jusqu'à l'oreille.

Elle s'arrêta, visiblement satisfaite de son récit.

— Le sang ne vous a pas rendue malade ? demanda Johnson.

Elle le regarda, interloquée :

— Non, pourquoi ? En général, quand les gens sont tués, il y a du sang. Là, il y avait plein de sang partout !

— Est-ce que quelqu'un a dit quelque chose ? demanda Poirot.

— David a dit une chose très bizarre... Qu'est-ce que c'était ? Ah oui. *Les meules du Seigneur...* C'est ce qu'il a dit. (Elle répéta en appuyant sur chaque mot.) *Les meules-du-Seigneur...* Qu'est-ce que ça veut dire ? Les meules servent à faire la farine, non ?

— Je crois, la coupa le colonel Johnson, que ce sera tout pour l'instant, miss Estravados.

Pilar se leva docilement. Elle eut un charmant sourire à l'adresse des trois hommes et déclara :

— Alors, je m'en vais.

Et elle sortit.

— *Les meules du Seigneur broient avec lenteur, mais elles réduisent en infime poussière*, récita le colonel Johnson. Et David Lee a dit ça !

15

Au bruit de la porte qui s'ouvrait encore une fois, le colonel Johnson leva la tête. Un instant, il crut voir Harry Lee revenir, mais il s'aperçut de son erreur quand Stephen Farr eut fait quelques pas dans la pièce.

— Asseyez-vous, Mr Farr.

Stephen s'assit et fit face aux trois hommes. Son regard était hardi et intelligent.

— Je crains de ne pas vous être très utile, mais posez-moi toutes les questions que vous jugerez bon. Je ferais peut-être mieux de vous expliquer d'abord qui je suis. Mon père, Ebenezer Farr, était l'associé de Simeon Lee en Afrique du Sud. Je vous parle d'il y a quarante ans.

» Mon père m'a beaucoup parlé de Simeon Lee — du genre de personnage que c'était. Ensemble, ils avaient ramassé un joli magot. Simeon Lee est revenu en Angleterre avec une fortune, et mon père ne s'en est pas mal tiré non plus. Il m'a toujours dit que le jour où je viendrais dans ce pays, il faudrait que j'aille voir Mr Lee. Je lui ai dit une fois que tout ça se passait il y a très longtemps et que Mr Lee ne saurait sans doute pas qui j'étais, mais ça l'a fait tordre de rire. Il m'a dit : « Quand deux types sont passés par où on est passés, Simeon et moi, ils n'oublient pas. » Eh bien, mon père est mort il y a deux ans. Cette année, je suis venu en Angleterre pour la première fois, et je me suis dit que j'allais suivre son conseil et venir voir Mr Lee.

Il poursuivit avec un léger sourire :

— J'étais bien un peu inquiet en arrivant ici, mais j'avais tort. Mr Lee m'a accueilli à bras ouverts et a insisté pour que je passe Noël avec sa famille. Je craignais de déranger, mais il n'a rien voulu entendre.

Il ajouta un peu timidement :

— Ils ont tous été très gentils avec moi. Mr et Mrs Alfred n'auraient pas pu l'être davantage. Je suis vraiment peiné de ce qui leur arrive.

— Depuis combien de temps êtes-vous ici, Mr Farr ?

— Depuis hier.

— Avez-vous vu Mr Lee aujourd'hui à un moment quelconque ?

— Oui, j'ai bavardé un moment avec lui ce matin. Il était de bonne humeur et très impatient d'entendre des nouvelles du pays, des gens qu'il avait connus.

— C'est la dernière fois que vous l'avez vu ?

— Oui.

— Vous a-t-il confié qu'il conservait des diamants bruts dans son coffre ?

— Non.

Il ajouta aussitôt :

— Voulez-vous dire que le vol est le mobile du crime ?

— Nous n'en sommes pas certains encore, dit Johnson. Pour en venir aux événements de la soirée, pouvez-vous nous dire en quelques mots ce que vous faisiez ?

— Certainement. Après que les dames ont quitté la salle à manger, je suis resté un moment à boire du porto. Puis j'ai compris que les Lee avaient à discuter de problèmes familiaux et que ma présence les gênait. Je me suis donc excusé et je les ai laissés.

— Et qu'avez-vous fait ensuite ?

Stephen Farr s'adossa à sa chaise. Il se caressa la mâchoire de l'index et dit avec une certaine raideur :

— Je... je suis entré dans une grande pièce parquetée — une sorte de salle de bal, j'imagine. Il y avait là un gramophone et quelques disques de danse. J'en ai passé plusieurs.

— Il n'était pas impossible, dit Poirot, que quelqu'un vienne vous rejoindre ?

Un très léger sourire passa sur les lèvres de Stephen Farr.

— Ce n'était pas impossible, en effet. L'espoir fait vivre.

Son sourire s'élargit encore.

— La señorita Estravados est très belle, insinua Poirot.

— Elle est — et de loin — ce que j'ai vu de plus décoratif depuis mon arrivée en Angleterre, répondit Stephen.

— Et miss Estravados vous a-t-elle rejoint ? demanda le colonel Johnson.

Stephen Farr secoua la tête.

— J'étais encore là quand j'ai entendu le ramdam. Je suis sorti et j'ai couru à toute allure pour voir ce qui se passait. J'ai aidé Harry à enfoncer la porte.

— Est-ce là tout ce que vous avez à nous dire ?

— Strictement tout, hélas !

Hercule Poirot se pencha vers lui :

— Je crois pourtant, monsieur Farr, suggéra-t-il doucement, que vous pourriez nous en dire beaucoup plus, pour peu que vous le vouliez.

— Qu'entendez-vous par là ? s'insurgea Farr.

— Vous pourriez nous parler de quelque chose de très important dans cette affaire — le caractère de Mr Lee. Vous dites que votre père vous a beaucoup parlé de lui. Quelle sorte d'homme vous a-t-il décrit ?

— Je crois comprendre où vous voulez en venir, dit lentement Stephen Farr. À quoi ressemblait Simeon Lee dans sa jeunesse ? Eh bien... vous voulez que je sois franc, j'imagine ?

— S'il vous plaît.

— Pour commencer, je ne pense pas que Simeon Lee était un citoyen très recommandable. Je ne veux pas dire que c'était un escroc, mais il naviguait serré. Ce n'étaient pas les principes qui l'étouffaient, mais il avait du charme, beaucoup de charme, et il était incroyablement généreux. Dans la débine, personne n'a fait appel à lui en vain. Il buvait pas mal, mais gardait le contrôle, il plaisait aux femmes et il avait le sens de l'humour. À côté de ça, il avait un curieux penchant pour la vengeance. L'éléphant qui n'oublie rien, vous savez... eh bien voilà Simeon Lee tout craché. Mon père m'a raconté plusieurs histoires où Lee avait attendu des années pour faire payer un type qui lui avait joué un tour de cochon.

— C'est un jeu qui peut se jouer à deux, remarqua le superintendant. Vous n'auriez pas connaissance d'un sale tour que Simeon Lee aurait joué à quelqu'un, là-bas ? Rien dans son passé qui pourrait expliquer le meurtre de ce soir ?

Stephen Farr secoua la tête :

— Il avait des ennemis, bien sûr. Étant donné l'homme qu'il était, il en avait forcément. Mais je ne connais aucune histoire en particulier. De plus... (ses yeux se rétrécirent) je crois savoir — en fait, j'ai questionné Tressilian — qu'il n'y avait ce soir aucun étranger dans la maison ou alentour.

— *À l'exception de vous-même, Mr Farr*, dit Hercule Poirot.

Stephen Farr bondit :

— Alors, c'est ça, hein ? Le sombre étranger qui s'est introduit dans la place ! Eh bien, non, vous ne trouverez rien de ce genre. Pas de vieille histoire où Simeon Lee aurait escroqué Ebenezer Farr, avec son fils qui reviendrait pour venger son père ! Non, dit-il en secouant la tête, Simeon et Ebenezer n'avaient rien l'un contre l'autre. Je suis venu ici, comme je vous l'ai dit, par pure curiosité. En outre, j'imagine qu'un gramophone est un alibi qui en vaut bien un autre. Je n'ai pas arrêté de passer des disques — quelqu'un doit bien les avoir entendus. Un seul disque ne m'aurait pas laissé le temps de foncer au premier — avec ces corridors qui n'en finissent pas —, couper la gorge d'un vieillard, nettoyer le sang sur moi et revenir avant que les autres ne se précipitent à l'étage. C'est grotesque !

— Nous n'avons rien insinué contre vous, Mr Farr, intervint le colonel Johnson.

— Je n'ai pas tellement apprécié le ton de Mr Hercule Poirot.

— Là, dit Hercule Poirot, vous m'en voyez tout marri.

Et il le gratifia d'un sourire bénin.

Stephen Farr lui jeta un regard furibond, mais le colonel Johnson s'empressa de conclure :

— Merci, Mr Farr. Ce sera tout pour le moment. Je vous demanderai, bien sûr, de ne pas quitter cette maison.

Stephen Farr acquiesça. Il se leva et quitta la pièce d'une démarche souple et assurée.

Au moment où la porte se refermait sur lui, Johnson dit :

— Voilà X, l'élément inconnu. Son histoire semble assez plausible. N'empêche, c'est notre outsider. Il aurait pu barboter ces diamants, il aurait pu arriver avec une histoire bidon pour s'introduire dans la maison. Vous feriez bien de relever ses empreintes, Sugden, et de voir s'il est fiché.

— Je les ai déjà, dit le superintendant avec un sourire pincé.

— C'est bien. Vous ne laissez pas échapper grand-chose. Je suppose que vous faites faire toutes les vérifications d'usage ?

Sugden énuméra en comptant sur ses doigts :

— Vérifier ces coups de téléphone — l'heure, etc. Vérifier l'histoire de Horbury. À quelle heure il est sorti, qui l'a vu sortir. Vérifier toutes les entrées et les sorties. Vérifier les antécédents des domestiques. Vérifier la situation financière des membres de la famille. Vérifier le testament auprès du notaire. Fouiller la maison pour trouver l'arme et des vêtements tachés de sang — et éventuellement des diamants cachés Dieu sait où.

— Eh bien, voilà ce qui s'appelle serrer le problème ou je ne m'y connais pas ! approuva Johnson. Avez-vous autre chose à suggérer, monsieur Poirot ?

Poirot secoua la tête :

— Je trouve le superintendant admirablement exhaustif.

— Ce ne va pas être de la petite bière de fouiller la maison pour retrouver ces diamants, dit sombrement Sugden. Je n'ai jamais vu autant de babioles et de bibelots de ma vie.

— Ça ne manque certainement pas de cachettes, admit Poirot.

— Et vous n'avez vraiment rien à suggérer, Poirot ?

Le chef de la police semblait légèrement déçu, comme un homme dont le chien a refusé de faire son tour favori.

— Me permettrez-vous, dit Poirot, de faire à mon idée ?

— Mais certainement, certainement, acquiesça Johnson en même temps que le superintendant s'inquiétait, méfiant :

— Quelle idée ?

— J'aimerais converser, beaucoup, souvent, avec les membres de la famille.

— Vous voulez dire, leur reposer toutes ces questions ? demanda le colonel, un peu déconcerté.

— Non, non, pas questionner : converser !

— Pourquoi ? demanda Sugden.

Hercule Poirot balaya l'espace d'un ample geste de la main.

— Vous n'imaginez pas le nombre de détails cachés qui peuvent resurgir au cours d'une conversation ! Si un être humain bavarde à tort et à travers, il arrive forcément un moment où la vérité lui échappe !

— Vous pensez donc que quelqu'un ment ? demanda Sugden.

Poirot soupira :

— Très cher, tout le monde ment peu ou prou — il y a à boire et à manger. Tout le problème consiste à séparer les mensonges anodins des mensonges capitaux.

— Si on y réfléchit deux secondes, c'est tout de même incroyable, non ? s'écria Johnson. Nous nous trouvons face à un meurtre particulièrement brutal, sauvage, et qui avons-nous comme suspects ? Alfred Lee et sa femme — tous les deux charmants, calmes et distingués. George Lee, qui est membre du Parlement et la quintessence de la respectabilité. Sa femme ? Une jolie femme moderne comme il y en a tant. David Lee me fait l'effet d'un individu paisible, et si l'on en croit son frère Harry, il ne supporte pas la vue du sang. Sa femme semble bonne et sensée — absolument normale. Restent la nièce espagnole et l'homme d'Afrique du Sud. Les beautés espagnoles ont le sang chaud, mais j'imagine mal cette séduisante créature en train d'égorger son grand-père de sang-froid, d'autant qu'apparemment elle avait toutes les raisons de souhaiter qu'il vive — en tout cas jusqu'à ce qu'il ait refait son testament. Stephen Farr est une possibilité ; autrement dit c'est peut-être un escroc qui visait les diamants en s'introduisant ici.

Le vieil homme a découvert le vol et Farr l'a égorgé pour le faire taire. Ce n'est pas impossible — cet alibi du gramophone n'est pas si bon que ça.

Poirot secoua la tête :

— Mon cher ami, comparez donc le physique de Mr Stephen Farr et celui du vieux Simeon Lee. Si Farr avait décidé de tuer le vieillard, il aurait pu le faire en une minute : Simeon Lee aurait été bien incapable de lutter contre lui. Peut-on croire que ce frêle vieillard et ce magnifique spécimen d'homme ont lutté pendant plusieurs minutes en renversant des fauteuils et en brisant de la porcelaine ? Cela passe l'imagination !

Les yeux du colonel Johnson s'étrécirent :

— Vous voulez dire que c'est un homme *faible* qui a tué Simeon Lee ?

— Ou une femme ! dit le superintendant.

16

Le colonel Johnson consulta sa montre :

— Je n'ai plus grand-chose à faire ici. Vous avez l'affaire bien en main, Sugden. Ah, si, une chose encore. Nous devrions voir ce majordome. Je sais que vous l'avez déjà interrogé, mais nous en savons maintenant un peu plus. Il serait bon qu'il puisse nous confirmer les déclarations de chacun sur l'endroit où il se trouvait au moment du crime.

Tressilian entra de son pas lent. Le chef de la police le pria de s'asseoir.

— Merci, monsieur. Bien volontiers, si vous le permettez. Je me suis senti tout drôle, ces derniers temps — oui, vraiment tout drôle. Mes jambes, voyez-vous, monsieur, et puis ma tête.

— Vous avez subi un choc, c'est certain, dit gentiment Poirot.

Le majordome frissonna.

— Un... un drame d'une telle violence ! Dans cette maison ! Où tout a toujours été si paisible !

— C'était une maison bien tenue, n'est-ce pas ? dit Poirot. Mais pas une maison très heureuse ?

— Je ne voudrais pas dire cela, monsieur.

— Autrefois, quand toute la famille était là, c'était une maison heureuse ?

— Ce n'était peut-être pas ce qu'il est convenu

d'appeler un foyer harmonieux, monsieur, dit lentement Tressilian.

— Feu Mrs Lee n'était pas bien valide, non ?

— Non, monsieur, elle avait une petite santé, c'est certain.

— Ses enfants l'aimaient beaucoup ?

— Mr David avait une véritable dévotion pour elle. Plus comme une fille que comme un fils. Et après sa mort, il est parti, il ne pouvait plus supporter de vivre ici.

— Et Mr Harry ? Comment était-il ?

— Ç'a toujours été un jeune homme plutôt rebelle, monsieur, mais il avait bon cœur. Oh, Seigneur, ça m'a vraiment donné un coup, vous savez, quand la sonnette s'est mise à carillonner et à recarillonner avec tant d'impatience, que j'ai ouvert la porte et qu'il y avait cet étranger, et puis que la voix de Mr Harry m'a dit : « Ma parole, mais c'est ce bon Tressilian !... »

— Oui, cela a vraiment dû vous faire tout drôle, dit Poirot avec sympathie.

Un peu de rose monta aux joues fanées de Tressilian :

— On a parfois l'impression, monsieur, que le passé n'est pas passé ! Je crois qu'on a joué une pièce sur ce sujet, à Londres. Il y a du vrai là-dedans, monsieur, il y a du vrai. C'est une sensation qui vous prend soudain... comme si, ce que vous êtes en train de faire, vous l'aviez déjà fait. J'entends la sonnette, et je vais ouvrir, et j'ai l'impression que c'est encore et toujours Mr Harry — même si je vois bien qu'il s'agit de Mr Farr ou de quelqu'un d'autre — et je me dis en moi-même : « *Ce que tu fais là, tu l'as déjà fait...* »

— C'est très intéressant, ça, dit Poirot. Très intéressant...

Tressilian lui jeta un regard de gratitude.

Quant à Johnson, il s'éclaircit la voix d'un air exaspéré et reprit la direction des opérations :

— Moi, ce que je voudrais simplement, c'est vérifier quelques emplois du temps, dit-il. Voyons, quand
le vacarme a commencé au premier, je crois comprendre que seuls Mr Alfred Lee et Mr Harry Lee
étaient encore dans la salle à manger. Est-ce exact ?

— Je ne saurais vraiment vous dire, monsieur.
Tous ces messieurs étaient là quand j'ai servi le café
— mais c'était environ un quart d'heure plus tôt.

— Mr George Lee était en train de téléphoner.
Pouvez-vous confirmer ce point ?

— Je crois en effet que quelqu'un a téléphoné,
monsieur. Le téléphone sonne dans l'office, et quand
quelqu'un décroche le récepteur pour appeler un
numéro, la sonnerie fait un petit cling. Je me souviens bien d'avoir entendu ça, mais je n'y ai pas prêté
attention.

— Vous ne savez donc pas exactement quand
c'était ?

— Je ne saurais dire, monsieur. C'était après que
j'ai porté le café à ces messieurs, c'est tout ce que je
puis affirmer :

— Savez-vous où étaient les dames à ce moment-
là ?

— Mrs Alfred était dans le salon quand je suis
venu desservir le café. C'était juste une minute ou
deux avant que j'entende le cri au premier.

— Que faisait-elle ? demanda Poirot.

— Elle se tenait au fond de la pièce, à la fenêtre,
monsieur. Elle soulevait un peu le rideau et elle
regardait dehors.

— Et aucune des autres dames n'était dans la
pièce ?

— Non, monsieur.

— Savez-vous où elles étaient ?

— Non, monsieur, pas du tout.

— Et pour les autres, vous ne savez pas non plus ?

— Mr David jouait du piano, je crois, dans la salle
de musique, juste à côté du salon.

— Vous l'avez entendu jouer ?

— Oui, monsieur. (Le vieil homme frissonna de nouveau.) C'était comme un présage, monsieur, voilà ce que je me suis dit après. C'était la « Marche funèbre », qu'il jouait. Même à ce moment-là, je me souviens que ça m'a donné la chair de poule.

— C'est curieux, en effet, dit Poirot.

— Et ce type, Horbury, le valet, dit le colonel Johnson. Êtes-vous prêt à jurer qu'il était hors de la maison à 8 heures du soir ?

— Oh, oui, monsieur. C'était juste après votre arrivée, Mr Sugden. Je m'en souviens bien, parce qu'il a cassé une tasse à café.

— Horbury a cassé une tasse à café ? demanda Poirot.

— Oui, monsieur, une des belles tasses en porcelaine de Worcester. Onze ans que je les lave, et pas une de cassée jusqu'à ce soir.

— Que faisait Horbury avec ces tasses à café ?

— Eh bien, justement, monsieur, il n'avait pas à y toucher. En tout cas, il en avait une à la main, il l'admirait, apparemment, et juste quand j'ai parlé de la visite de Mr Sugden, il l'a laissé tomber.

— Avez-vous simplement dit « Mr Sugden », ou avez-vous mentionné la police ?

Tressilian eut l'air un peu saisi :

— À présent que vous m'y faites penser, monsieur, j'ai dit que le superintendant venait d'arriver.

— Et Horbury a lâché la tasse, dit Poirot.

— Assez révélateur, ça, dit Johnson. Est-ce que Horbury a posé des questions sur les raisons de cette visite ?

— Oui, monsieur, il a demandé ce qu'il voulait. Je lui ai dit qu'il quêtait pour l'orphelinat de la police et qu'il était monté voir Mr Lee.

— Et Horbury a eu l'air soulagé quand vous avez dit cela ?

— Savez-vous, monsieur, maintenant que vous le

dites, c'est vrai qu'il a eu l'air soulagé. Il a tout de suite changé de voix. Il a dit que Mr Lee était un homme qui savait se montrer généreux — il a employé des mots très irrespectueux — et puis il est sorti.

— Par où ?

— Par la porte qui va au vestibule réservé aux domestiques.

Sugden s'interposa :

— Tout ça est O.K., monsieur. Il a traversé la cuisine, où la cuisinière et son aide l'ont vu passer, et il est sorti par la porte de service. Maintenant, réfléchissez bien, Tressilian. Horbury aurait-il pu se débrouiller pour rentrer dans la maison sans que personne le voie ?

Le vieil homme secoua la tête :

— Je ne vois pas comment il aurait fait, monsieur. Toutes les portes sont fermées à clé de l'intérieur.

— Et en supposant qu'il ait eu une clé ?

— Elles sont également fermées au verrou, monsieur.

— Comment rentre-t-il quand il revient ?

— Il a une clé de la porte de service, monsieur. Tous les domestiques passent par là.

— Il aurait donc pu rentrer par ce chemin-là ?

— Pas sans traverser la cuisine, monsieur. Et il y a eu du monde à la cuisine jusqu'à 9 heures et demie, 10 heures moins le quart.

— Ça règle la question, dit le colonel Johnson. Merci, Tressilian.

Le vieil homme se leva et quitta la pièce en s'inclinant. Il reparut quelques instants plus tard :

— Horbury vient de rentrer, monsieur. Désirez-vous le voir maintenant ?

— Oui, s'il vous plaît, envoyez-le-nous tout de suite.

17

L'aspect de Sydney Horbury ne prévenait pas en sa faveur. Il entra et resta debout à se frotter les mains en jetant des coups d'œil furtifs à la ronde. Il était plein d'onction.

— Vous êtes Sydney Horbury ? demanda Johnson.

— Oui, monsieur.

— Attaché au service de Mr Lee ?

— Oui, monsieur. C'est terrible, n'est-ce pas ? J'ai failli tomber à la renverse quand Gladys m'a appris... Pauvre vieil homme...

Johnson coupa court :

— Contentez-vous de répondre à mes questions, je vous prie.

— Bien, monsieur. Certainement, monsieur.

— À quelle heure êtes-vous sorti ce soir, et où êtes-vous allé ?

— J'ai quitté la maison juste avant 8 heures, monsieur. Je suis allé au Superb, monsieur, qui n'est qu'à cinq minutes à pied. Le film, c'était *L'Amour à Séville*, monsieur.

— Quelqu'un vous a-t-il vu là-bas ?

— La jeune personne de la caisse, monsieur, elle me connaît. Et le contrôleur à l'entrée, il me connaît aussi. Et puis... hum... en fait, j'étais avec une jeune personne, monsieur. J'avais rendez-vous avec elle.

— Ah, vraiment ? Et comment s'appelle-t-elle ?

— Doris Buckle, monsieur. Elle travaille aux Laiteries Réunies, monsieur, 23, Markham Road.

— Très bien. Nous vérifierons ça. Vous êtes rentré directement ici ?

— J'ai d'abord ramené cette jeune personne chez elle, monsieur. Et puis je suis rentré tout droit. Vous verrez que je vous dis vrai, monsieur. Je n'ai rien à voir avec cette histoire. J'étais...

Le colonel Johnson le coupa derechef d'un ton bref :

— Personne ne vous accuse d'y être mêlé.

— Non, monsieur, bien sûr, monsieur. Mais ce n'est pas très agréable d'avoir un meurtre dans une maison où l'on sert, monsieur.

— Personne n'a prétendu que ça l'était. Bon, maintenant, depuis combien de temps étiez-vous au service de Mr Lee ?

— Un peu plus d'un an, monsieur.

— La place vous plaisait ?

— Oui, monsieur. J'étais très satisfait. Les gages étaient bons. Mr Lee se montrait bien parfois un peu difficile, mais il va de soi que j'ai l'habitude de m'occuper d'invalides.

— Vous avez eu des expériences antérieures ?

— Oh, oui, monsieur. J'ai servi chez le major West, et puis chez l'honorable Jasper Finch...

— Vous pourrez donner plus tard tous ces détails à Sugden. Ce que je veux savoir est ceci : à quelle heure avez-vous vu Mr Lee pour la dernière fois ce soir ?

— Il devait être 7 heures et demie, monsieur. Mr Lee se faisait monter tous les soirs un dîner léger à 7 heures. Puis je lui faisais sa toilette pour la nuit. Ensuite, il s'asseyait en robe de chambre devant le feu jusqu'à ce que l'envie lui prenne d'aller se coucher.

— Ce qui se passait généralement à quelle heure ?

— Cela dépendait, monsieur. Parfois, il se couchait dès 8 heures du soir, s'il se sentait fatigué. Mais parfois il restait dans son fauteuil jusqu'à des 11 heures ou plus.

— Que faisait-il quand il voulait aller se coucher ?

— En général, il me sonnait, monsieur.

— Et vous l'aidiez à se mettre au lit ?

— Oui, monsieur.

— Mais ce soir, c'était votre jour de sortie. C'est toujours le vendredi ?

— Oui, monsieur. Le vendredi est mon jour habituel.

— Que se passait-il alors quand Mr Lee voulait aller se coucher ?

— Il sonnait, et Tressilian ou Walter montaient s'occuper de lui.

— Il n'était pas impotent ? Il pouvait se déplacer seul ?

— Oui, monsieur, mais avec difficulté. Rhumatismes articulaires, monsieur, c'est de ça qu'il souffrait. Il allait plus ou moins bien selon les jours.

— Il ne s'installait jamais dans une autre pièce pendant la journée ?

— Non, monsieur. Mr Lee n'avait pas des goûts de luxe. Il préférait rester dans sa chambre, c'est une grande pièce claire et bien aérée.

— Vous dites que Mr Lee a pris son dîner à 7 heures ?

— Oui, monsieur. J'ai enlevé le plateau et j'ai posé le sherry et deux verres sur le bureau.

— Pourquoi cela ?

— Ordres de Mr Lee.

— Était-ce l'habitude ?

— Parfois. Il était de règle qu'aucun membre de la famille ne monte voir Mr Lee dans la soirée, sauf s'il l'en priait expressément. Certains soirs, il voulait être seul. D'autres fois, il demandait à Mr Alfred, ou Mrs Alfred, ou aux deux, de monter après le dîner.

— Mais pour autant que vous sachiez, il ne l'a pas fait ce soir ? Je veux dire : il n'a fait dire à aucun membre de la famille de monter le voir ?

— Il ne le leur a pas fait dire par *moi*, monsieur.

— De sorte qu'il n'attendait personne de sa famille ?

— Il a pu le demander personnellement à l'un d'entre eux, monsieur.

— Bien sûr.

Horbury poursuivit :

— J'ai vérifié que tout était en ordre, j'ai souhaité bonne nuit à Mr Lee et j'ai quitté la pièce.

— Vous êtes-vous occupé du feu avant de partir ? demanda Poirot.

Le valet de chambre hésita :

— Ce n'était pas nécessaire, monsieur. Il flambait très bien.

— Mr Lee aurait-il pu le faire lui-même ?

— Oh, non, monsieur. C'est Mr Harry Lee qui a dû le faire.

— Mr Harry Lee était avec lui quand vous êtes entré avec son dîner ?

— Oui, monsieur. Il est sorti quand je suis entré.

— Dans quel état d'esprit étaient-ils, autant que vous puissiez en juger ?

— Mr Harry avait l'air de très bonne humeur, monsieur. Il rejetait la tête en arrière et riait beaucoup.

— Et Mr Lee ?

— Il était silencieux et plutôt pensif.

— Je vois. Il y a encore une chose que je voudrais savoir : que pouvez-vous nous dire au sujet des diamants que Mr Lee avait dans son coffre ?

— Des diamants, monsieur ? Je n'ai jamais vu de diamants.

— Mr Lee conservait là une certaine quantité de diamants bruts. Vous devez l'avoir vu les manier.

— Ces drôles de petits cailloux, monsieur ? Oui, je les ai vus dans ses mains une ou deux fois. Mais je ne savais pas que c'étaient des diamants. Il les a montrés à la jeune personne étrangère pas plus tard qu'hier — ou était-ce avant-hier ?

Le colonel Johnson se fit abrupt :

— Ces pierres ont été volées.

— J'espère, monsieur, s'écria Horbury, que vous ne pensez pas que je puisse être mêlé à ça !

— Je ne porte aucune accusation, dit Johnson. Je vous demande si vous savez quelque chose qui aurait un rapport avec cette affaire ?

— Les diamants, monsieur ? Ou le meurtre ?

— Les deux.

Horbury prit le temps de la réflexion. Il passa plusieurs fois la langue sur ses lèvres pâles. Quand il leva les yeux, il avait quelque chose de fuyant dans le regard.

— Je ne vois rien, monsieur.

Poirot dit doucement :

— Vous n'auriez rien entendu — au cours de votre service, par exemple — qui puisse nous être utile ?

Le valet de chambre battit un peu des paupières :

— Non, monsieur. Je ne crois pas, monsieur. Il y avait un peu de tirage entre Mr Lee et... et certains membres de la famille.

— Lesquels ?

— J'ai cru comprendre que le retour de Mr Harry Lee posait quelques problèmes. Ça ne plaisait pas à Mr Alfred. Je crois que son père et lui ont eu des mots à ce sujet — mais rien de plus. Mr Lee ne l'a pas accusé un instant d'avoir pris les diamants. Et je suis certain que Mr Alfred ne ferait jamais une chose pareille.

Poirot enchaîna très vite :

— Son entretien avec Mr Alfred a pourtant eu lieu

après qu'il a découvert la disparition des diamants, n'est-ce pas ?

— Oui, monsieur.

Poirot se pencha en avant.

— Je croyais, Horbury, dit-il doucement, que *vous n'étiez pas au courant du vol des diamants jusqu'à ce que nous vous en informions, il y a un instant.* Dans ce cas, comment savez-vous que Mr Lee avait découvert le vol *avant* d'avoir cette conversation avec son fils ?

Horbury devint rouge brique.

— Inutile de mentir, gronda Sugden. Crachez le morceau. Quand l'avez-vous appris ?

— Je l'ai entendu téléphoner à quelqu'un à ce sujet, répondit Harbury à contrecœur.

— Vous n'étiez pas dans la chambre ?

— Non, derrière la porte. Je n'ai pas entendu grand-chose, juste quelques mots.

— Qu'avez-vous entendu exactement ? demanda Poirot, suave.

— J'ai entendu les mots vol et diamants, et je l'ai entendu dire : « Je ne sais qui soupçonner », et puis je l'ai entendu dire quelque chose à propos de ce soir, 8 heures.

Le superintendant Sugden hocha la tête :

— C'était à moi qu'il parlait, mon garçon. Vers 5 h 10, c'est bien ça ?

— C'est bien ça, monsieur.

— Et ensuite, quand vous êtes entré dans sa chambre, avait-il l'air troublé ?

— Plutôt, monsieur. Il semblait absent et préoccupé.

— Si bien que vous avez eu la frousse... hein ?

— Eh, attendez voir, Mr Sugden, je ne vous permettrai pas. Je n'ai jamais touché à ces diamants, moi, et vous ne pouvez pas prouver le contraire. Je ne suis pas un voleur.

— Ça, ça reste à voir, répliqua le superintendant, fort peu impressionné.

Il lança un coup d'œil interrogateur au chef de la police, reçut son feu vert et conclut :

— C'est bon, mon garçon, on vous a assez vu pour ce soir.

Horbury s'éclipsa sans se faire prier.

— Joli travail, monsieur Poirot, reconnut Sugden. Vous l'avez piégé, et en beauté. Voleur ou pas, en tout cas c'est un fieffé menteur !

— Un peu reluisant personnage, commenta Poirot.

— Drôle d'oiseau, oui, approuva Johnson. La question est : que faut-il penser de son témoignage ?

Sugden résuma clairement la situation :

— Il me semble qu'il existe trois possibilités : 1) Horbury est un voleur *et* un meurtrier. 2) Horbury est un voleur, mais *pas* un meurtrier. 3) Horbury est innocent. Quelques éléments en faveur de l'hypothèse n° 1 : il a surpris une conversation téléphonique, et il savait que le vol avait été découvert. Il a compris à l'attitude du vieux Lee que celui-ci le soupçonnait. Il a tiré ses plans en conséquence. Il est sorti ostensiblement à 8 heures, histoire de se concocter un alibi. Pas très compliqué de se glisser hors d'un cinéma et d'y retourner sans se faire voir. Il fallait quand même qu'il soit bigrement sûr de la fille. Je verrai demain ce que je peux tirer d'elle.

— Quoi qu'il en soit, comment a-t-il fait pour rentrer dans la maison ? demanda Poirot.

— C'est là que ça se complique, admit Sugden. Mais il y a sûrement une solution. Qu'est-ce qui nous dit qu'une des domestiques ne lui a pas ouvert une porte de service ?

Poirot haussa des sourcils perplexes :

— Il se met donc à la merci de deux femmes ? Avec *une* seule femme, ce serait déjà très risqué. Mais *deux*... alors là, le risque devient extravagant !

— Certains criminels s'imaginent qu'ils s'en tireront toujours ! dit Sugden.

» Examinons l'hypothèse n° 2. Horbury a barboté ces diamants. Il les a sortis de la maison ce soir, éventuellement pour les remettre à un complice. Jusque-là, pas de problèmes, et de fortes probabilités. Mais alors il nous faut admettre que quelqu'un d'autre a choisi ce même soir pour assassiner Mr Lee, sans rien savoir de cette histoire de vol de diamants. C'est possible, bien sûr, mais un peu gros comme coïncidence.

» Possibilité n° 3 : Horbury est innocent. Quelqu'un d'autre a pris les diamants et assassiné le vieux.

» Voilà le topo. Maintenant, à nous de découvrir la vérité.

Le colonel Johnson bâilla. Il jeta un nouveau coup d'œil à sa montre et se leva.

— Eh bien, dit-il, je crois que ça ira pour ce soir, non ? Jetons quand même un œil dans le coffre avant de partir. Ce serait drôle, si ces satanés diamants n'avaient jamais bougé.

Mais les diamants n'étaient pas là. La combinaison, ils l'avaient relevée là où Alfred Lee l'avait dit, dans le petit calepin que le vieux Simeon gardait sur lui, au fond de la poche de sa robe de chambre. Dans le coffre, ils trouvèrent un sac en peau de chamois, vide. Parmi les papiers qu'il contenait par ailleurs, un seul présentait un certain intérêt.

C'était un testament datant d'une quinzaine d'années. Outre quelques legs et dons, ses dispositions étaient fort simples. La moitié de la fortune de Simeon Lee revenait à Alfred Lee. L'autre moitié était divisée en parts égales entre ses autres enfants : Harry, George, David et Jennifer.

QUATRIÈME PARTIE

25 DÉCEMBRE

1

Sous le soleil étincelant de cette fin de matinée de Noël, Hercule Poirot arpentait les jardins de Gorston Hall. Le manoir lui-même était une vaste bâtisse solide et massive, sans aucune prétention architecturale.

Sur son côté sud courait une large terrasse bordée d'ifs taillés. Du gazon nain poussait entre les dalles, et des bacs de pierre plantés de jardins miniatures étaient disposés à intervalles réguliers.

Poirot les contempla d'un œil approbateur.

— Ça, c'est une bonne idée ! se murmura-t-il en lui-même.

À quelque distance de là, il aperçut deux silhouettes qui se dirigeaient vers une pièce d'eau, environ trois cents mètres plus loin. Pilar était aisément reconnaissable, et Poirot crut d'abord que son compagnon était Stephen Farr, puis il se rendit compte de son erreur : c'était Harry Lee qui cheminait au côté de Pilar. Un Harry Lee très absorbé, sembla-t-il, par sa charmante nièce. Par moments, il renversait la tête pour lancer son grand rire, puis il se penchait de nouveau attentivement vers elle.

« En voilà en tout cas un qui ne porte pas le deuil », se dit Poirot.

Un léger bruit dans son dos le fit se retourner. Magdalene Lee se tenait derrière lui. Elle aussi regardait s'éloigner les deux silhouettes. Elle tourna la tête vers Poirot et lui adressa un sourire enchanteur :

— Quelle journée splendide ! On a du mal à croire à toutes les horreurs de la nuit dernière, n'est-ce pas, monsieur Poirot ?

— C'est bien difficile, en effet, madame.

— C'est la première fois de ma vie que je suis mêlée de près à une tragédie, soupira Magdalene. En fait je... je viens de passer d'un seul coup à l'âge adulte. Je crois que j'étais restée gosse trop longtemps. Ce qui n'est pas une bonne chose.

Elle poussa un nouveau soupir :

— Quant à Pilar, elle a l'air tellement maîtresse d'elle-même ! Ça doit être son sang espagnol. Tout cela est quand même très bizarre, non ?

— Qu'est-ce qui est bizarre, chère petite madame ?

— Cette façon d'arriver soudain, de surgir de nulle part !

— J'ai appris que Mr Lee la recherchait depuis un certain temps. Il était en correspondance avec le consulat à Madrid et avec le vice-consul à Aliquara, où sa mère est morte.

— Il ne s'en était pas vanté, dit Magdalene. Alfred n'en savait rien. Lydia non plus.

— Ah ! fit Poirot.

Magdalene se rapprocha de lui. Il pouvait sentir son parfum délicat.

— Vous savez, monsieur Poirot, il y a une histoire au sujet d'Estravados, le mari de Jennifer. Il est mort très peu de temps après leur mariage, et il y a tout un mystère là-dessous. Alfred et Lydia sont au courant. Je crois que c'était quelque chose... d'assez scandaleux...

— Tout ceci est bien triste, dit Poirot.

— Mon mari pense — et je suis d'accord avec lui — qu'on aurait dû mettre la famille au courant des antécédents de cette fille. Après tout, si son père était un criminel...

Elle attendit mais Hercule Poirot restait silencieux. Il semblait admirer toutes les beautés qu'étaient susceptibles d'offrir les parterres de Gorston Hall au cœur de l'hiver.

— Je ne peux m'empêcher de penser que la façon dont mon beau-père a été tué est assez *significative*, insista Magdalene. C'est un crime... comment dire ?... *Si peu anglais* !

Hercule Poirot se retourna lentement. Ses yeux graves rencontrèrent ceux de la jeune femme, ingénument interrogatifs.

— Tiens, tiens !... la patte espagnole, vous croyez ?

— Ces gens-là sont archicruels, non ? dit Magdalene d'une voix de petite fille. Les corridas et tout ça !

— Vous voulez dire qu'à votre avis la señorita Estravados a égorgé son grand-père ? demanda Poirot d'un ton léger.

— Oh, non, monsieur Poirot ! protesta Magdalene avec véhémence. Je n'ai jamais rien dit de pareil ! Je vous assure bien que non !

— Exact, concéda Poirot. Peut-être ne l'avez-vous pas dit.

Mais je pense en effet qu'elle est... eh bien, suspecte. La façon furtive dont elle a ramassé quelque chose par terre, dans la chambre, hier soir, par exemple.

La voix de Poirot changea d'intonation.

— Elle a ramassé quelque chose par terre hier soir ?

Magdalene hocha la tête. Sa bouche enfantine fit une moue de dédain.

— Oui, dès que nous sommes entrés dans la pièce. Elle a jeté un coup d'œil pour voir si personne ne la regardait et hop ! elle a fondu sur sa proie. Encore heureux que le superintendant l'ait vue et qu'il ait exigé une restitution immédiate !

— Et qu'avait-elle dans la main, vous le savez, madame ?

— Non, je n'étais pas assez près pour voir. (Il y

avait du regret dans la voix de Magdalene.) C'était quelque chose de très petit.

Poirot fronça les sourcils.

— Intéressant, ça, murmura-t-il.

— Oui, appuya Magdalene, j'ai pensé qu'il fallait que vous soyez au courant. Après tout, nous ne savons *rien* de l'éducation de Pilar ni de la vie qu'elle a menée. Alfred est toujours si sourcilleux et la chère Lydia, si insouciante ! D'ailleurs, je ferais mieux d'aller voir si je peux l'aider. Il y a peut-être des lettres à écrire.

Et elle s'éloigna, un sourire de malveillance satisfaite sur les lèvres.

Poirot resta sur la terrasse, perdu dans ses pensées.

Le superintendant Sugden vint bientôt vers lui, l'air sombre.

— Bonjour, monsieur Poirot, dit-il. Pas vraiment le cas de se souhaiter Joyeux Noël, n'est-ce pas ?

— Mon cher collègue, votre physionomie n'incite certes pas à se réjouir. M'eussiez-vous dit « Joyeux Noël », que je n'aurais pas osé vous en souhaiter « Beaucoup d'autres semblables ! », comme vous le faites ici.

— J'espère bien que c'est le premier et le dernier de ce genre, ça, c'est sûr, dit Sugden.

— Vous avez progressé ?

— J'ai vérifié pas mal de choses. L'alibi de Horbury tient la route. Le contrôleur du cinéma l'a vu entrer avec la fille et repartir avec elle à la fin de la séance. Horbury n'est pas sorti et n'aurait pas pu le faire et revenir pendant la projection, il est catégorique. La fille jure ses grands dieux qu'il est resté avec elle pendant toute la séance.

Poirot leva les sourcils.

— Alors, je ne vois pas ce qu'on peut ajouter.

— Bah ! sait-on jamais, avec les filles ! dit le cynique Sugden. Pour un homme, elles seraient toutes capables de mentir jusqu'à la gauche !

— Ce qui tendrait à prouver qu'elles ont du cœur, dit Poirot.

— Ça, c'est bien un point de vue d'étranger, grommela Sugden. Ça entrave le cours de la justice.

— La justice est une chose très étrange, rétorqua Poirot. Y avez-vous jamais songé ?

Sugden le regarda fixement.

— Vous êtes un type bizarre, monsieur Poirot.

— Pas du tout. Je me contente de suivre une ligne de pensée logique. Mais nous n'allons pas nous quereller là-dessus. Vous estimez donc, vous, que la demoiselle de la laiterie ne dit pas la vérité ?

Sugden secoua la tête.

— Non, dit-il, ce n'est pas ça. En fait, je crois qu'elle dit la vérité. Elle n'est pas du genre compliqué, et, si elle me mentait, je crois que je le saurais tout de suite.

— Vous avez de l'expérience, hein !

— Exactement, monsieur Poirot. Quand on a passé des années à recueillir des déclarations, on repère, en gros, quand les gens disent la vérité et quand ils mentent. Non, je crois que le témoignage de la fille est sincère, auquel cas, Horbury *n'a pas pu* assassiner le vieux Lee, ce qui nous ramène aux gens de la maison.

Il prit une profonde inspiration :

— C'est l'un d'eux qui a fait le coup, monsieur Poirot. C'est l'un d'eux. Mais lequel ?

— Aucun élément nouveau ?

— Si, j'ai eu de la chance avec les coups de téléphone. Mr George Lee a obtenu une communication pour Westeringham à 9 heures moins 2. Cet appel a duré moins de six minutes.

— Tiens donc !

— Comme vous dites ! Et qui plus est, il n'y *a pas eu d'autre appel,* ni pour Westeringham ni pour nulle part ailleurs.

— Très intéressant, approuva Poirot. Mr George

Lee prétend qu'il venait juste de raccrocher quand il a entendu le bruit au premier — mais en fait, il avait raccroché au moins *dix minutes avant*. Où était-il fourré pendant ces dix minutes ? Mrs George Lee dit qu'*elle* était en train de téléphoner — mais elle n'a jamais appelé personne. Où diable était-elle passée ?

— Je vous ai vu lui parler, monsieur Poirot ?

C'était une question indirecte, à laquelle Poirot répondit tout de go :

— Vous faites erreur !

— Hein ?

— *Je* ne *lui* parlais pas, c'est elle qui *me* parlait !

— Oh

Sugden fut sur le point de balayer le distinguo avec impatience. Puis la signification lui en apparut :

— C'est *elle* qui *vous* parlait, dites-vous ?

— Absolument. Elle est venue me trouver expressément dans ce but.

— Et qu'avait-elle à dire ?

— Elle voulait attirer mon attention sur certains points : le caractère résolument non anglais du meurtre, les antécédents vraisemblablement douteux de miss Estravados du côté paternel, le fait que miss Estravados avait furtivement ramassé quelque chose par terre hier soir.

— Ah ! elle vous a dit ça ? fit Sugden avec intérêt.

— Oui. Qu'est-ce qu'elle a donc ramassé, la señorita ?

— J'aimerais bien qu'on me le dise ! soupira Sugden. Je vous montrerai. Dans un roman policier, c'est le genre de truc qui vous résout le mystère en cinq sec. Mais dans le cas présent, si vous arrivez à en tirer quelque chose, je veux bien rendre mon uniforme !

— Montrez-moi.

Sugden sortit une enveloppe de sa poche et en renversa le contenu sur sa paume. Un léger sourire flottait sur ses lèvres.

— Voilà. Quelles conclusions vous suggère ça ?

Sur la large paume du superintendant gisaient un lambeau de caoutchouc rose et une petite cheville de bois.

Le sourire de Sugden s'élargit quand Poirot saisit les deux objets et les examina en fronçant les sourcils.

— Alors, cela vous inspire, monsieur Poirot ?

— Ce petit morceau de caoutchouc pourrait-il avoir été découpé dans une trousse de toilette ?

— C'est le cas. Ça provient de la trousse de toilette du vieux Simeon Lee. Quelqu'un y a découpé un triangle avec des ciseaux. Mr Lee peut fort bien l'avoir fait lui-même, pour autant que je sache. Mais ce qui m'échappe, c'est *pourquoi* il aurait fait ça. Horbury est incapable de nous fournir la moindre lueur sur la question. Quant au bout de bois, ça ressemble à un fichet de trictrac, mais généralement, ce sont des pièces en ivoire. Ça, c'est un vulgaire morceau de bois, qu'on jurerait taillé au couteau.

— Tout à fait remarquable, murmura Poirot.

— Gardez-les si cela vous chante, proposa aimablement Sugden. Moi, je n'en veux pas.

— Mon bon ami, je ne voudrais pas vous en priver !

— Ça n'évoque rien du tout pour vous ?

— Rigoureusement rien, je dois le reconnaître !

— Sensationnel ! railla Sugden d'un ton de lourd sarcasme en remettant les deux objets dans sa poche. Voilà ce qui s'appelle faire un grand pas en avant !

— Mrs George Lee affirme que la jeune Pilar a ramassé ces deux babioles d'une manière furtive. En diriez-vous autant ?

Sugden réfléchit à la question.

— N-non, répondit-il avec hésitation. Je n'irais pas jusque-là. Elle n'avait pas l'air coupable — rien de ce genre —, mais elle les a effectivement ramassés... eh bien... très vite, mine de rien, si vous voyez ce que je veux dire. *Et elle ne savait pas que je l'avais vue faire !* Ça, j'en suis sûr. Elle a sursauté quand je lui suis tombé dessus.

— Ce qui tendrait à prouver, dit pensivement Poirot, qu'elle avait une raison d'avoir ramassé ça ? Mais quelle espèce de raison pouvait-elle bien avoir ? Ce petit morceau de caoutchouc est tout neuf. Il n'a servi à rien. Il ne peut avoir aucune signification. Et pourtant...

Sugden l'interrompit avec impatience :

— Bon, eh bien, faites-vous des cheveux blancs là-dessus si cela vous dit, monsieur Poirot. Moi, j'ai d'autres chats à fouetter.

— La situation se présente comment, à votre avis ? demanda Poirot.

Sugden sortit son calepin :

— Tenons-nous-en aux *faits*. Pour commencer, il y a les gens qui *ne peuvent pas* avoir commis le crime. Mettons-les à part tout de suite...

— Et ce sont... ?

— Alfred et Harry Lee. Ils possèdent un alibi inattaquable. Mrs Alfred Lee également, puisque Tressilian l'a vue dans le salon une minute avant que le grabuge ne commence au premier. Ces trois-là sont hors de cause. Voyons maintenant les autres. Tenez, voici la liste que j'ai dressée pour plus de clarté.

Il tendit son carnet à Poirot.

	Au moment du meurtre	
George Lee	*était*	*?*
Mrs George Lee	*était*	*?*
David Lee	*était*	*dans la salle de musique en train de jouer du piano (confirmé par sa femme)*
Mrs David Lee	*était*	*dans la salle de musique (confirmé par son mari)*
Miss Estravados	*était*	*dans sa chambre (aucune confirmation)*

| Stephen Farr | était | *dans la salle de bal en train de passer des disques sur le gramophone (confirmé par trois domestiques qui entendaient la musique depuis le vestibule)* |

Poirot rendit son carnet à Sugden :

— Et vous en concluez... ?

— Et j'en conclus, dit Sugden, que George Lee a pu tuer le vieux. Que Mrs George Lee peut l'avoir tué. Que Pilar Estravados peut l'avoir tué. Et que Mr *ou* Mrs David Lee peut l'avoir tué, mais pas *les deux*.

— Vous n'acceptez donc pas leur alibi ?

Le superintendant secoua énergiquement la tête :

— Jamais de la vie ! Ils sont mari et femme, et solidaires l'un de l'autre ! Ils peuvent avoir monté leur coup ensemble, ou si un seul est coupable, l'autre est prêt à soutenir son alibi mordicus. Je vois les choses comme ça : *quelqu'un* jouait du piano dans la salle de musique. C'était *peut-être* David Lee. C'était *sans doute* lui, puisqu'il est musicien accompli, mais rien ne nous prouve que sa femme était là elle aussi, *sauf leur parole à tous les deux*. De la même façon, ç'aurait pu être Hilda qui jouait du piano pendant que David se faufilait au premier pour tuer son père ! Non, ce n'est pas du tout le même cas de figure que les deux frères dans la salle à manger. Alfred et Harry Lee ne peuvent pas se souffrir. Et ni l'un ni l'autre ne commettrait un parjure pour sauver la peau de l'autre.

— Qu'en est-il de Stephen Farr ?

— C'est un suspect possible parce que cet alibi du gramophone est un peu mince. D'un autre côté, il est plus vraisemblable qu'un alibi en béton armé qui neuf fois sur dix a été fabriqué à l'avance !

Poirot hocha pensivement la tête :

— Je vois ce que vous voulez dire. C'est l'alibi d'un homme *qui ne savait pas qu'il aurait à en fournir un.*

— Exactement ! Et puis, de toute façon, je ne crois pas qu'un étranger soit mêlé à cette affaire.

— Je suis bien d'accord avec vous, s'empressa d'acquiescer Poirot. C'est une affaire de *famille*. C'est comme un poison qui court dans le sang. C'est intime. Ça plonge ses racines au plus profond... On trouve ici réunies, me semble-t-il, la *haine* et la *familiarité*... Ah, je ne sais pas, soupira-t-il finalement, c'est difficile !

Le superintendant Sugden avait attendu avec respect, mais sans paraître autrement impressionné.

— Sans doute, monsieur Poirot. Mais n'ayez aucune crainte, en procédant avec logique et par élimination, nous arriverons au but. Nous avons déjà les coupables possibles — les personnes qui ont eu tout loisir de tuer. George Lee, Magdalene Lee, David Lee, Hilda Lee, Pilar Estravados, et j'ajouterai Stephen Farr. Voyons maintenant le *mobile*. Qui avait une *raison* d'éliminer le vieux Mr Lee ? Là encore, nous pouvons écarter d'emblée certaines personnes. Miss Estravados, pour commencer. Je suppose que le testament actuel ne lui laisse rien du tout. Si Simeon Lee était mort avant sa mère, elle aurait hérité de la part de celle-ci, à moins que sa mère en ait disposé autrement. Mais comme Jennifer Estravados est morte avant Simeon Lee, sa part réintègre la succession. Miss Estravados avait donc tout intérêt à ce que le vieil homme vive. Il l'avait prise en affection ; il ne l'aurait certainement pas oubliée dans son nouveau testament. Elle avait tout à perdre et rien à gagner avec ce meurtre. Vous êtes d'accord avec ça ?

— Parfaitement.

— Il reste bien sûr l'éventualité qu'elle lui ait coupé la gorge dans le feu d'une dispute, mais cela me semble hautement improbable. D'abord, ils étaient dans les meilleurs termes, et puis elle n'était pas ici depuis assez longtemps pour avoir des griefs contre lui. Il semble donc très douteux que miss

Estravados ait quoi que ce soit à voir avec ce meurtre
— sauf, bien sûr, à considérer que couper la gorge
d'un homme est un comportement fort peu anglais,
comme l'a suggéré votre amie Mrs George Lee ?

— N'en parlez pas comme de *mon* amie, se défen-
dit Poirot, ou je vous parlerai de *votre* amie Pilar
Estravados, qui vous trouve si bel homme !

Il eut la satisfaction de voir se troubler le très
gourmé superintendant, qui, pour la seconde fois,
vira à l'écarlate. Poirot le considéra d'un œil mali-
cieux, et reprit, non sans une soudaine mélancolie :

— C'est vrai que vous avez une moustache
superbe... Dites-moi, vous utilisez une pommade
spéciale ?

— Une *pommade ?* Grands dieux, non !

— Qu'est-ce que vous mettez, alors ?

— Ce que je mets ? Rien du tout. Elle — elle
pousse, c'est tout !

— Heureux homme !

Poirot caressa sa propre moustache, noire et bien
fournie, et soupira derechef :

— Si coûteux que soit le produit employé, restau-
rer la couleur naturelle appauvrit toujours quelque
peu la qualité du poil.

Le superintendant Sugden, qui n'avait que faire de
ces problèmes cosmétiques, poursuivait cependant
avec flegme :

— Si l'on examine le *mobile* du crime, je dirais que
nous pouvons sans doute éliminer Mr Stephen Farr.
Il est possible qu'il y ait eu quelque entourloupe
entre son père et Mr Lee, et que le premier en ait
souffert, mais ça m'étonnerait. Farr avait l'air tellement tranquille et sûr de lui en parlant de ça ! Je ne
pense pas qu'il jouait la comédie. Non, je doute que
nous trouvions quelque chose de ce côté.

— Je ne pense pas non plus, en effet, dit Poirot.

— Et il y a encore quelqu'un qui avait intérêt à ce
qu'il n'arrive rien au vieux Lee : son fils Harry. C'est

vrai qu'il bénéficie aussi du testament actuel, *mais je ne pense pas* qu'il *le savait,* et en tout cas il ne pouvait en être *sûr* ! Le sentiment général était que Harry avait été définitivement déshérité quand il avait largué les amarres. Mais là, il était sur le point de rentrer en grâce ! Que son père rédige un nouveau testament était tout à son avantage. Il n'aurait pas été assez bête pour le tuer juste à ce moment-là. Et d'ailleurs, comme nous le savons, il *n'aurait pas* pu le faire. Vous voyez, nous avançons. Nous éliminons du monde.

— C'est vrai. Il ne restera bientôt plus personne !

— Oh, pas si vite ! dit Sugden avec un grand sourire. Il nous reste George Lee et sa femme, et David et Hilda Lee. Ils profitent tous de cette mort, et l'argent, ai-je cru comprendre, est l'idée fixe de George Lee. En outre, son père menaçait de rogner sur sa pension. Nous avons donc pour George Lee un mobile et une occasion !

— Continuez, dit Poirot.

— Nous avons aussi Mrs George. Elle aime l'argent autant qu'un chat la crème. Et je serais prêt à parier qu'elle est endettée jusqu'au cou en ce moment même ! Elle était jalouse de la jeune Espagnole. Elle a eu tôt fait de s'apercevoir qu'elle prenait de l'ascendant sur le vieil homme. Elle entend celui-ci convoquer son notaire. Alors elle frappe très vite. Cela pourrait se tenir.

— Possible.

— Et puis il y a David Lee et sa femme. Ils bénéficient du testament actuel, mais je ne pense pas que l'argent soit une motivation particulièrement forte dans leur cas.

— Non ?

— Non. David Lee a plutôt l'air d'un rêveur — pas d'un type intéressé. Mais il est... comment dire ?... il est *bizarre*. Et pour ma part, je vois trois mobiles possibles pour ce meurtre. Il y a l'affaire des diamants, il y a le testament, et il y a... eh bien, la *haine* pure et simple.

— Ah, vous voyez ça, vous ?

— Naturellement. J'ai eu ça à l'esprit depuis le début. *Si* David Lee a tué son père, je ne crois pas que ce soit pour l'argent. Et si c'était lui le criminel, cela expliquerait... eh bien, le bain de sang.

Poirot lui décocha un regard approbateur :

— Nous y voilà ! Je me demandais quand vous vous décideriez à prendre ça en considération. *Tant de sang* ! — c'est ce qu'a dit Mrs Alfred. Cela nous ramène aux rites anciens, aux sacrifices sanglants, à l'onction dans le sang du sacrifice...

Sugden se renfrogna :

— Vous voulez dire que c'est l'œuvre d'un fou ?

— Très cher, l'homme possède en lui toutes sortes d'instincts dont il n'a même pas conscience. La soif de sang... l'exigence du sacrifice !

— David Lee a l'air d'un type bien tranquille, inoffensif, objecta Sugden.

— Vous ne comprenez pas la psychologie, dit Poirot. David Lee est un homme qui vit dans le passé — un homme chez qui le souvenir de sa mère demeure extrêmement vif. Il a évité son père pendant des années parce qu'il ne pouvait pas lui pardonner la façon dont il avait traité sa mère. Il est peut-être venu — concédons-lui ça —, dans l'intention de pardonner. *Mais supposons qu'il n'ait pas pu...* Il y a une chose que nous savons : nous savons que quand David Lee s'est trouvé devant le cadavre de son père, une partie de lui était satisfaite et apaisée. « *Les meules du Seigneur broient avec lenteur, mais elles réduisent en infime poussière.* » Châtiment ! Vengeance ! Le mal lavé par l'expiation !

Sugden eut un brusque frisson :

— Ne parlez pas comme ça, monsieur Poirot. Vous me flanquez la chair de poule. Ça s'est peut-être passé comme vous dites. Dans ce cas, Mrs David le sait et elle a l'intention de le protéger par tous les moyens. Je la vois bien faisant ça. D'un autre côté, je ne la vois pas du tout en meurtrière. Elle a l'air si popote, si quelconque !

— C'est donc ça ce qui vous frappe en elle ? murmura Poirot en le dévisageant avec curiosité.

— Eh bien, oui, quoi ! « Bobonne », si vous voyez ce que je veux dire !

— Oh, je vois parfaitement !

Sugden lui lança un regard inquisiteur :

— Allez, monsieur Poirot, vous avez vos idées sur cette affaire. Racontez.

— Oui, dit lentement Poirot, j'ai des idées, mais elles sont assez nébuleuses. Laissez-moi d'abord écouter votre résumé de l'affaire.

— Eh bien, comme je vous l'ai dit, je vois trois mobiles possibles : la haine, l'argent, et l'embrouille des diamants. Prenons les faits par ordre chronologique.

» 15 h 30, réunion de famille. Conversation téléphonique avec le notaire, entendue par tout un chacun. Sur quoi le vieux tombe à bras raccourcis sur ses enfants, leur dit leur fait et les flanque à la porte. Ils filent comme des lapins paniqués.

— Hilda Lee est restée en arrière, rappela Poirot.

— En effet, mais pas longtemps. Puis, vers 18 heures, Alfred a une conversation avec son père — conversation pénible. Harry est rétabli à sa place et dans ses droits ; Alfred n'est pas content. Alfred, bien sûr, *devrait* être notre principal suspect : c'est lui qui a le mobile le plus puissant, et de loin. Enfin bref, Harry arrive à son tour. Il a amené le vieux là où il voulait. Et il est d'humeur plutôt exubérante. Mais *avant* ces deux entretiens, Simeon Lee a découvert la perte des diamants et m'a téléphoné. Il ne mentionne cette disparition à aucun de ses deux fils. Pourquoi ? Selon moi, parce qu'il était sûr qu'aucun des deux n'était coupable. Il ne les soupçonnait pas. Je crois, comme je n'ai cessé de le dire, que le vieux soupçonnait Horbury et *une autre personne*. Et je vois très bien ce qu'il comptait faire. Rappelez-vous, il a dit de façon catégorique qu'il ne voulait pas voir un chat ce soir-là. Pourquoi ? Parce qu'il se préparait à deux choses : d'abord, ma visite ; ensuite, *la visite de la personne qu'il soupçonnait*. Il a effectivement demandé à *quelqu'un* de venir le voir juste après le dîner. Bon, mais qui pouvait être cette personne ? Peut-être George Lee. Plus vraisemblablement encore, sa femme. Et puis il y a quelqu'un d'autre qu'il faut bien remettre sur la liste : c'est Pilar Estravados. Il lui a montré les diamants. Il lui a indiqué leur valeur. Comment savons-nous que cette fille n'est pas une voleuse ? Rappelez-vous les mystérieuses allusions au comportement scandaleux de son père. C'était peut-être bel et bien un voleur professionnel qui a fini par échouer en prison.

— Et donc, comme vous dites, murmura Poirot, revoilà Pilar Estravados sur la sellette...

— Oui, mais en tant que *voleuse*. Pas autrement. Elle *peut* avoir perdu la tête quand elle a été découverte. Elle *peut* s'être jetée sur son grand-père et l'avoir attaqué.

— Ce n'est pas exclu, non..., admit Poirot, pensif.

Le superintendant Sugden le sonda du regard :

— Mais ce n'est pas là *votre* idée sur la question ? Allons, monsieur Poirot, c'est *quoi* votre idée sur la question ?

— J'en reviens toujours au même point, dit Poirot : *le caractère de la victime*. Quelle sorte d'homme était Simeon Lee ?

— Ce n'est pas un bien grand mystère, gronda Sugden en le toisant d'un œil torve.

— En ce cas, dites-le-moi. À tout le moins, dites-moi comment on le considérait sur le plan local.

Le superintendant Sugden se caressa la mâchoire d'un doigt pensif. Il avait l'air embarrassé :

— Je ne suis pas vraiment du coin. Je suis de là-bas, du Reeveshire, le comté voisin. Mais ce qu'il y a de sûr, c'est que le vieux Mr Lee était un personnage très connu dans la région. Et, par les commérages, j'en ai appris assez long sur son compte.

— Alors qu'est-ce qu'ils disaient, ces commérages ?

— Eh bien, que c'était une fripouille ; qu'il n'y avait pas beaucoup de salopards qui lui arrivaient à la cheville. Mais qu'il n'était pas près de ses sous. Qu'il avait le porte-monnaie facile, comme dit l'autre. Ça me dépasse que Mr George Lee puisse être exactement le contraire tout en étant le fils de son père.

— Ah ! mais c'est qu'il y a deux tendances distinctes dans la famille : Alfred, George et David tiennent — superficiellement du moins — du côté maternel. Je me suis intéressé à certains portraits dans la galerie, ce matin.

— Il avait un caractère de cochon, poursuivit Sugden, et bien sûr, une sale réputation pour ce qui est des femmes — enfin, ça, c'est quand il était plus jeune. Parce que ça faisait quand même des années qu'il était invalide. Mais même là, il se montrait toujours très généreux. S'il y avait un problème, il payait sans lésiner et s'arrangeait plutôt deux fois qu'une pour caser la fille. C'était peut-être une crapule, mais il n'était pas mesquin. Il traitait mal sa femme, la négligeait et ne pouvait pas voir un jupon sans lui courir après. Elle est morte le cœur brisé, à ce qu'on dit. C'est une expression toute faite, mais je crois que la pauvre était vraiment très malheureuse. Elle était toujours plus ou moins souffrante et ne sortait pas beaucoup. Il ne fait aucun doute que Mr Lee était un drôle de coco. Très porté sur la vengeance, aussi. Si quelqu'un lui jouait un mauvais tour, il lui rendait toujours la monnaie de sa pièce, à ce qu'il paraît. Et peu importe le temps que ça prenait.

— Les meules du Seigneur broient avec lenteur, mais elles réduisent en infime poussière, murmura Poirot.

— Les meules du diable, plutôt ! s'exclama Sugden. Rien de saint chez Simeon Lee. Exactement le genre d'homme dont on pourrait dire qu'il avait vendu son âme au diable et trouvé le marché amusant ! Et il était orgueilleux, aussi ! Fier comme un paon !

— Fier comme un paon ! répéta Poirot. C'est très suggestif, ce que vous dites là.

Le superintendant haussa les sourcils :

— Vous ne voulez quand même pas dire qu'on l'a tué parce qu'il était orgueilleux ?

— Je veux dire qu'il existe quelque chose qui s'appelle l'hérédité. Cet orgueil, Simeon Lee l'a transmis à ses fils...

Il s'interrompit. Hilda Lee était sortie de la maison et, immobile sur la terrasse, semblait chercher quelqu'un.

3

— Je souhaitais vous parler, monsieur Poirot.

Le superintendant Sugden s'était déjà excusé et s'éloignait vers la maison. Hilda le suivit des yeux :

— Je ne le savais pas avec vous. Je le croyais avec Pilar. Il a l'air très brave homme, très plein d'égards.

Elle avait une voix agréable, à l'élocution lente, apaisante.

— Vous disiez que vous souhaitiez me voir ? reprit Poirot.

— Oui, dit-elle en inclinant la tête. Je vous crois capable de m'aider.

— J'en serais ravi, madame.

— Vous êtes un homme très intelligent, monsieur Poirot. Je m'en suis aperçue hier au soir. Il est des choses, je crois, que vous découvrirez sans peine. Et je voudrais que vous compreniez mon mari.

— Oui, madame ?

— Je ne me confierais pas ainsi au superintendant Sugden. Il ne comprendrait pas. Vous, si.

Poirot s'inclina :

— Vous m'honorez, madame.

— Depuis de longues années, poursuivit Hilda sans s'émouvoir, depuis bien avant que je le rencontre et l'épouse, mon mari est ce qu'il faut bien appeler un infirme mental.

— Ah !

— Quand on est gravement blessé dans son corps, c'est très douloureux sur le coup, mais peu à peu ça se guérit. La plaie se referme, l'os se ressoude. Il peut rester une légère faiblesse, une petite cicatrice, mais c'est tout. Mon mari, monsieur Poirot, a reçu une grave blessure mentale à l'âge le plus tendre. Il adorait sa mère et il l'a vue mourir. Il a pensé que son père était moralement responsable de cette mort. De ce choc, il ne s'est jamais vraiment remis. Son ressentiment contre son père n'a jamais faibli. C'est moi qui ai persuadé David de venir pour Noël cette année, pour qu'il se réconcilie avec son père. Je le voulais — pour *son* bien — pour que cette blessure mentale puisse enfin guérir. Je comprends à présent que c'était une erreur. Simeon Lee a pris plaisir à fouiller cette vieille plaie. C'était... s'exposer à un grave danger.

— Seriez-vous en train de m'avouer, madame, que votre mari a tué son père ?

— Ce que je vous avoue, monsieur Poirot, c'est qu'il *aurait* fort bien *pu* le faire. Mais j'ajouterai également ceci : il *ne* l'a *pas* fait ! Quand Simeon Lee a été tué, son fils jouait la Marche funèbre. Le désir de meurtre était dans son cœur. Il est passé dans ses doigts et s'est éteint dans la musique : voilà la vérité.

Poirot demeura quelques instants silencieux avant de reprendre :

— Et vous, madame, quel est votre verdict sur ce drame ancien ?

— Vous faites allusion à la mort de la femme de Simeon Lee ?

— Oui.

— J'ai assez vécu pour savoir qu'il faut se garder de juger sur les apparences. Tout tendrait à prouver que Simeon Lee s'est conduit envers sa femme de façon abominable et que lui seul doit encourir le blâme. En même temps, je crois sincèrement qu'une certaine faiblesse, une certaine prédisposition au martyre réveillent les pires instincts chez un type d'homme bien précis. Simeon Lee, je pense, aurait aimé rencontrer chez sa compagne courage et force de caractère. Résignation et larmes ne faisaient que l'exaspérer.

Poirot hocha la tête :

— Votre mari a dit hier soir : « Ma mère ne se plaignait jamais. » Est-ce vrai ?

— Bien sûr que non ! répliqua Hilda avec impatience. Elle ne cessait de se plaindre auprès de David ! Tout le poids de son malheur, elle le faisait peser sur ses épaules. Il était trop jeune — bien trop jeune pour supporter ce qu'elle lui demandait de supporter !

Poirot la regarda d'un air pensif. Elle rougit sous son regard et se mordit la lèvre.

— Je vois, dit-il.

— Que voyez-vous ? demanda-t-elle d'un ton âpre.

— Je vois qu'il vous a fallu être une mère pour votre mari quand vous auriez préféré être sa femme.

Elle se détourna.

À ce moment, David Lee sortit de la maison et, longeant la terrasse, vint dans leur direction.

— Hilda, lança-t-il d'une voix joyeuse, c'est une journée splendide, non ? On jurerait le printemps au milieu de l'hiver !

Il s'approcha. Il avait la tête rejetée en arrière, une boucle de cheveux blonds lui tombait sur le front, ses yeux bleus brillaient. Incroyablement juvénile, il semblait déborder d'ardeur, de radieuse insouciance. Hercule Poirot retint son souffle...

— Viens, Hilda, descendons jusqu'au lac, la pressa David.

Elle sourit et passa son bras sous le sien.

Tandis que Poirot les regardait s'éloigner, il la vit se retourner pour lui jeter un bref coup d'œil. Et dans ce

regard il eut le temps de saisir une lueur d'anxiété —
à moins que ce ne fût de la peur !

Hercule Poirot regagna à pas lents l'autre extrémité de la terrasse.

— Comme je l'ai toujours dit, marmottait-il entre
ses dents, moi, je suis le père confesseur ! Et comme
les femmes vont à confesse plus souvent que les
hommes, ce sont les femmes qui sont venues à moi
ce matin. Verrai-je bientôt paraître une autre de mes
ouailles ?

Comme il faisait demi-tour au bout de la terrasse,
il eut la réponse à sa question. Lydia Lee marchait à
sa rencontre.

4

— Bonjour, monsieur Poirot, dit Lydia. Tressilian m'a dit que je vous trouverai ici avec Harry, mais je suis heureuse de vous y trouver seul. Mon mari m'a parlé de vous : il est très désireux de vous voir.

— Ah oui ? Dois-je aller le trouver maintenant ?

— Pas encore. Il a à peine dormi cette nuit et j'ai fini par lui donner un somnifère assez puissant. Il dort encore, et je ne veux pas le déranger.

— Je comprends. Vous avez bien fait. J'ai pu constater hier soir à quel point ç'avait été pour lui un choc.

— Voyez-vous, monsieur Poirot, dit-elle d'un ton grave, il *aimait* vraiment son père — bien plus que ne le font les autres.

— Je comprends.

— Avez-vous... le superintendant a-t-il la moindre idée de qui a pu commettre un crime aussi monstrueux ?

— Nous avons quelque idée, madame, répondit posément Poirot, de qui *n'a pas* pu le commettre !

Lydia laissa échapper un cri d'exaspération :

— Ça a tout du cauchemar ! Ça passe l'entendement ! Je n'arrive pas à croire que ça puisse être vrai !

Elle s'interrompit, puis reprit :

— Et Horbury ? Était-il vraiment au cinéma, comme il l'a prétendu ?

— Oui madame. On a vérifié ses déclarations. Il a dit la vérité.

Lydia pâlit quelque peu. Elle arracha une brindille d'if.

— Mais c'est *atroce* ! Ça ne laisse que... que la famille !

— Très juste.

— Monsieur Poirot, je *ne peux pas* croire une chose pareille !

— Madame, vous *pouvez* le croire et vous le *croyez* bel et bien !

Elle parut sur le point de protester, puis eut un sourire piteux :

— Ce qu'on peut être hypocrite !

Il hocha la tête :

— Qu'un membre de la famille assassine votre beau-père ne vous étonne pas le moins du monde. Si vous étiez franche avec moi, vous l'admettriez, madame.

Lydia se rebiffa :

— C'est là une assertion peu banale, monsieur Poirot !

— Exact. Mais, peu banal, votre beau-père l'était lui aussi.

— Pauvre vieux, murmura Lydia. Dire que maintenant j'en arrive à le plaindre. Quand il était vivant, il m'horripilait au-delà de toute expression !

— Je vous crois sans peine, avoua Poirot.

Il se pencha sur un des bacs :

— C'est très ingénieux, ça. Très joli.

— Ravie que ça vous plaise. C'est mon passe-temps favori. Celui-là, avec la glace et les pingouins, c'est l'océan Arctique, vous aimez ?

— Charmant. Et là, qu'est-ce que c'est ?

— Oh, ça, c'est la mer Morte — ou du moins ça va l'être. Je n'ai pas encore fini, il ne faut pas regarder.

Là, c'est censé représenter Piana, en Corse. Les rochers sont roses, vous savez, c'est ravissant avec la mer bleue. Et cette scène de désert, c'est amusant, non ?

Ils firent le tour des paysages miniatures. Arrivée au dernier, Lydia jeta un coup d'œil à sa montre :

— Il faut que j'aille voir si Alfred est réveillé.

Quand elle se fut éloignée, Poirot retourna lentement vers le jardin qui représentait la mer Morte. Il l'examina avec beaucoup d'intérêt, puis saisit une petite poignée de cailloux qu'il fit rouler entre ses doigts.

Soudain, son visage changea. Il approcha les cailloux de ses yeux.

— Sapristi ! s'exclama-t-il. Ça, pour une surprise !... Mais qu'est-ce que ça peut bien vouloir dire ?

CINQUIÈME PARTIE

26 DÉCEMBRE

Le colonel Johnson et le superintendant Sugden fixaient Poirot d'un air incrédule. Ce dernier replaça précautionneusement une poignée de petits cailloux dans une boîte en carton et repoussa le tout vers le chef de la police.

— Hé, oui ! dit-il. Ce sont bien les diamants.

— Et vous les avez trouvés où, dites-vous ? Dans le jardin ?

— Dans un des petits jardins miniatures de Mrs Alfred Lee.

— Mrs Alfred ?

Sugden secoua la tête :

— C'est aberrant.

— Vous voulez dire, je suppose, demanda Poirot, qu'il vous semble peu probable que Mrs Alfred ait égorgé son beau-père ?

Sugden balaya la question :

— Nous savons déjà qu'elle ne l'a pas fait. J'ai du mal à croire qu'elle ait fauché ces diamants, c'est ça que je voulais dire.

— Difficile de la prendre pour une voleuse, en effet.

— N'importe qui aurait pu les cacher là, dit Sugden.

— C'est vrai. Ça tombait bien que dans ce jardin — ça représente la mer Morte — il y ait, comme par un fait exprès, des petits cailloux qui ont presque la même forme et le même aspect.

— Voulez-vous dire qu'elle les a mis là exprès ? dit Sugden. En prévision ?

Le colonel Johnson intervint avec force :

— Je n'y crois pas un instant. Pas un instant ! Pourquoi aurait-elle pris ces diamants, pour commencer ?

— Oh, pour ça... !, marmonna Sugden.

— Il y a une réponse possible à cela, coupa Poirot. Elle peut avoir pris les diamants pour suggérer un mobile. Cela revient à dire qu'elle savait qu'un meurtre allait être commis, bien qu'elle-même n'y ait pris aucune part active.

Johnson fronça les sourcils :

— Ça ne tient pas debout. Vous faites d'elle une complice, mais de qui aurait-elle pu être la complice ? Uniquement de son mari. Mais comme nous savons que lui non plus n'a rien à voir avec le meurtre, le raisonnement s'écroule.

Sugden se caressa pensivement la mâchoire.

— Oui, dit-il, c'est l'évidence. Non, si Mrs Lee a pris les diamants — et c'est un gros « si » — ce n'était qu'un simple vol, et elle a effectivement pu faire ce jardin exprès pour y cacher les diamants en attendant que le calme soit revenu. Mais il peut s'agir aussi d'une *coïncidence*. Ce jardin, avec ses cailloux particuliers, a paru au voleur, quel qu'il soit, la cachette idéale.

— Ce n'est pas du tout exclu, admit Poirot. Je suis toujours prêt à admettre *une* coïncidence.

Le superintendant Sugden secouait la tête d'un air de doute.

— Qu'avez-vous sur le cœur, superintendant ?

— Mrs Lee est une femme tout ce qu'il y a de bien, répondit prudemment le policier. Pas commode de croire qu'elle puisse être mêlée à une histoire louche. Mais, bien sûr, on ne peut jamais jurer de rien.

Le colonel Johnson recommençait à s'énerver :

— En tout état de cause, et quelle que puisse être

la vérité au sujet de ces diamants, elle n'est pas mêlée au meurtre, la question ne se pose même pas. Le majordome l'a vue dans le salon à l'heure du crime. Vous vous souvenez de ça, Poirot ?

— Je ne l'avais pas oublié, très cher.

Le chef de la police se tourna vers son subordonné :

— Poursuivons. Qu'avez-vous à dire ? Quelque chose de neuf ?

— Oui, monsieur. J'ai quelques renseignements, sur Horbury en particulier. Il a au moins une bonne raison d'avoir peur de la police.

— Cambriolage ? ? Hein ?

— Non, monsieur. Extorsion de fonds. Chantage. Il s'en est sorti faute de preuves, mais j'ai dans l'idée qu'il a une ou deux bricoles de ce goût-là à son actif. Comme il n'a pas la conscience tranquille, il a dû penser que nous étions sur sa trace quand Tressilian a parlé d'un officier de police, et il a eu la frousse.

— Hum ! dit Johnson. Au temps pour Horbury. Quoi d'autre ?

Le superintendant toussota :

— Euh... Mrs George Lee, monsieur. Nous avons quelque chose sur elle avant son mariage. Elle vivait avec un certain Jones, capitaine de frégate. Elle se faisait passer pour sa fille, mais *elle n'était pas sa fille*... À la lueur de ce qu'on nous a raconté, j'en déduis que le vieux Mr Lee ne s'y était pas trompé — il avait l'œil en matière de femmes et savait reconnaître une traînée quand il lui en passait une sous le nez ! Il a tiré comme ça, à l'aveuglette, pour s'amuser. Et il a mis en plein dans le mille !

— Ce qui, outre la question d'argent, donne à cette jeune personne un autre mobile, murmura le colonel Johnson d'un ton pensif. Elle a pu se dire qu'il avait découvert le pot aux roses et qu'il avait l'intention d'en parler à son mari. Son histoire de téléphone ne tient pas debout. Elle n'a *jamais* téléphoné.

— Pourquoi ne pas les faire venir tous les deux, monsieur, suggéra Sugden, et mettre carrément la question sur la table ? Pour voir ce que ça donne.

— Bonne idée, approuva Johnson.

Il sonna. Tressilian apparut.

— Veuillez prier Mr et Mrs George Lee de venir ici.

— Très bien, monsieur.

Comme le vieux majordome tournait les talons, Poirot dit :

— La date sur le calendrier, elle est restée comme ça depuis le meurtre ?

Tressilian se retourna :

— Quel calendrier, monsieur ?

— Celui qui est accroché au mur, là-bas.

Les trois hommes s'étaient de nouveau installés dans le petit bureau d'Alfred Lee. Le calendrier en question était un éphéméride avec la date imprimée en gros.

Tressilian le fixa de l'autre bout de la pièce, puis s'en rapprocha lentement.

— Je vous demande pardon, monsieur, dit-il quand il eut le nez dessus, il a bien été mis à jour. Nous sommes le 26, aujourd'hui.

— Ah, excusez-moi. Et qui donc l'a mis à jour, selon vous ?

— Mr Lee le fait chaque matin, monsieur. Mr Alfred est un monsieur très méthodique.

— Je vois. Je vous remercie.

Tressilian sortit. Sugden semblait éberlué :

— Il y a quelque chose de louche avec ce calendrier, monsieur Poirot ? Quelque chose qui m'aurait échappé ?

Poirot haussa les épaules :

— Le calendrier n'a aucune importance. Je me livrais tout juste à une petite expérience.

Le colonel Johnson leva la main pour abréger :

— Demain, nous aurons l'enquête. Et il y aura, cela va de soi, renvoi.

— Oui, monsieur, acquiesça Sugden. J'ai vu le coroner, et tout est réglé.

George Lee pénétra dans la pièce, accompagné de son épouse.

— Bonjour, dit le colonel Johnson. Asseyez-vous, je vous prie. J'ai quelques questions à vous poser à tous les deux. Un petit point à éclaircir.

— Je serai heureux de vous fournir toute l'assistance possible, déclara George avec emphase.

— Bien sûr ! approuva faiblement Magdalene.

Le chef de la police fit un signe de tête à Sugden, qui attaqua :

— Il s'agit de ces coups de téléphone, le soir du crime. Vous avez appelé Westeringham, nous avez-vous dit, n'est-ce pas, Mr Lee ?

— En effet, répondit George fraîchement. J'ai parlé au secrétaire de ma circonscription. Je peux vous adresser à lui et...

Le superintendant Sugden leva la main pour endiguer le flot :

— Fort bien, Mr Lee, fort bien. Nous ne contestons pas ce point. Vous avez obtenu une communication à 20 h 59 très précises.

— Euh... je... hum..., l'heure exacte, je ne saurais dire.

— Ah, dit Sugden. Mais nous, nous le pouvons ! Nous vérifions toujours ces détails-là très soigneusement. Très très soigneusement. La communication a été établie à 20 h 59 et s'est terminée à 21 h 04. Votre père, Mr Lee, a été tué vers 21 h 15. Je dois donc vous prier encore une fois de nous dire ce que vous faisiez à ce moment-là.

— Mais je vous l'ai dit ! Je téléphonais !

— Non, Mr Lee, vous ne téléphoniez pas.

— Absurde, vous devez vous tromper ! Enfin, peut-être avais-je tout juste fini de téléphoner... Je crois que j'hésitais à passer un autre coup de téléphone. J'étais en train de me demander si... euh... si cela en valait la dépense, quand j'ai entendu le bruit au premier.

— Vous n'auriez quand même pas pesé le pour et le contre pendant dix minutes !

George s'empourpra.

— Que voulez-vous dire ? s'offusqua-t-il. Que diable essayez-vous d'insinuer ? Quelle impudence ! Vous mettez ma parole en doute ? La parole d'un homme de ma position ? Je... euh... au nom de quoi devrais-je vous rendre compte de mon emploi du temps minute par minute ?

— C'est la règle, répondit le superintendant avec un flegme que Poirot ne put s'empêcher d'admirer.

George se tourna d'un air furieux vers le chef de la police :

— Colonel Johnson, allez-vous cautionner ce... cette attitude inqualifiable ?

— Dans une affaire de meurtre, Mr Lee, dit celui-ci avec raideur, il est indispensable de poser des questions — *et d'obtenir des réponses.*

— J'ai répondu ! Mon coup de téléphone était terminé et je... euh... j'hésitais à en passer un autre.

— Vous étiez dans cette pièce quand le branle-bas a commencé au premier ?

— Oui... Oui, j'étais ici.

Johnson se tourna vers Magdalene :

— Mrs Lee, vous avez bien déclaré, n'est-ce pas,

que *vous* étiez au téléphone quand vous avez entendu le bruit, et qu'à ce moment-là vous étiez toute seule dans cette pièce ?

Magdalene perdit contenance. Elle chercha son souffle, jeta à George un coup d'œil oblique, regarda Sugden, lança une œillade pathétique au colonel Johnson.

— Oh, vraiment ? dit-elle en désespoir de cause. Je ne sais plus... Je ne me souviens pas de ce que j'ai dit... J'étais tellement *bouleversée*...

— J'ai pris votre déclaration par écrit, vous savez, dit Sugden.

Elle tourna ses batteries vers lui — de grands yeux suppliants, une petite bouche tremblante. Mais elle ne rencontra que l'imperturbable froideur d'un homme de mœurs austères qui désapprouvait tout en elle.

— Je... bien sûr que j'ai téléphoné, balbutia-t-elle. Simplement, je ne suis plus sûre au juste de *quand*...

Elle se tut.

— Qu'est-ce que c'est que cette histoire ? s'écria son mari. D'où as-tu téléphoné ? Pas d'ici, en tout cas.

— Je prétends, Mrs Lee, dit le superintendant, que *vous n'avez pas téléphoné du tout*. Dans ce cas, où étiez-vous et que faisiez-vous ?

Ne sachant plus où tourner ses regards, Magdalene opta pour les sanglots.

— George, hoqueta-t-elle, ne les laisse pas me persécuter ! Tu sais bien que si on me fait peur et qu'on me bombarde de questions, je suis incapable de me souvenir *de quoi que ce soit* ! Je ne sais plus ce que j'ai dit ce soir-là — c'était si horrible... j'étais si bouleversée... et ils sont si monstrueux avec moi...

Elle se leva d'un bond et se rua hors de la pièce en sanglotant.

George Lee bondit à son tour.

— Qu'est-ce qui vous prend ? fulmina-t-il. Je

n'admets pas qu'on harcèle ma femme et qu'on la terrorise de cette façon ! Elle est très sensible. C'est scandaleux ! J'interpellerai le Parlement sur les méthodes de la police. C'est inqualifiable !

Sur quoi il sortit d'un pas vengeur en claquant la porte.

Le superintendant Sugden renversa la tête en arrière et partit d'un énorme éclat de rire :

— Et voilà, nous avons ferré nos poissons ! Il n'y a plus qu'à laisser venir !

Le colonel Johnson lâcha la bride à son tempérament grognon :

— Tout ça ne tient pas debout. Je flaire du louche. Il va falloir que nous lui arrachions une autre déposition.

— Ne vous en faites pas, dit Sugden avec assurance, elle va revenir dans deux secondes. Quand elle aura trouvé quoi dire. Pas vrai, monsieur Poirot ?

Poirot, qui semblait s'être perdu dans un songe, sursauta :

— Pardon ?

— J'ai dit qu'elle n'allait pas tarder à revenir.

— Oh, sans doute... oui, sans doute... oui, bien sûr !

— Qu'y a-t-il, monsieur Poirot ? demanda Sugden en lui jetant un regard scrutateur. Vous avez vu un fantôme ?

— Vous ne croyez pas si bien dire, murmura lentement Poirot. Je me demande si ce n'est pas exactement ça que je viens de voir.

Le colonel Johnson s'impatienta :

— Bon, Sugden, quoi d'autre ?

— J'ai essayé d'établir l'ordre dans lequel chacun est arrivé sur le lieu du crime. Ce qui a dû se passer est assez clair. Après le meurtre, quand le cri d'agonie de la victime a donné l'alarme, le meurtrier s'est glissé hors de la chambre, a fermé la porte de l'extérieur avec des pinces ou un instrument du même genre, et quelques instants plus tard, s'est mué en un de ceux qui se hâtaient vers le lieu du crime. Il n'est, hélas, pas facile d'établir avec certitude qui a vu qui, parce que dans ce genre de circonstances, la mémoire tend à s'embrouiller. Tressilian dit qu'il a vu Harry et Alfred Lee traverser le hall en sortant de la salle à manger et s'élancer dans les escaliers. Cela les met hors de cause et, de toute façon, nous ne les suspectons pas. Autant que je puisse en juger, miss Estravados est arrivée plus tard, parmi les derniers. En gros, il semble que Farr, Mrs George et Mrs David sont arrivés les premiers. Chacun de ces trois-là affirme que l'un des deux autres était juste devant lui. C'est ça qui est difficile : comment faire le partage entre le mensonge délibéré et l'imprécision des souvenirs ? Tout le monde s'est précipité, là-dessus on est d'accord — mais dans quel ordre, c'est une autre paire de manches.

— Vous pensez que c'est important ? demanda Poirot.

— C'est le facteur temps, dit Sugden. Le meurtrier, rappelez-vous, n'a disposé que d'un temps incroyablement court.

— Je vous accorde que le temps est un facteur important dans cette affaire.

— Ce qui complique encore les choses, poursuivit Sugden, c'est qu'il y a deux escaliers. Il y a le grand escalier dans le hall, à égale distance de la porte de la salle à manger et de celle du salon. Et puis, il y en a un autre à l'autre bout de la maison. Stephen Farr a emprunté celui-là. Miss Estravados est venue de cette partie-là de la maison par le couloir — sa chambre est à l'opposé de celle du vieux Lee. Les autres disent qu'ils ont pris le grand escalier.

— En effet, c'est assez confus, dit Poirot.

La porte s'ouvrit et Magdalene se glissa rapidement dans la pièce. Elle avait le souffle court et une tache rouge sur chaque joue. Elle s'approcha de la table :

— Mon mari croit que je me repose. Je suis sortie de ma chambre sans faire de bruit. Colonel Johnson (elle le suppliait de ses grands yeux pleins de détresse), si je vous dis la vérité, vous n'en soufflerez mot, n'est-ce pas ? Je veux dire, vous n'êtes pas forcé de rendre *tout* public ?

— Il s'agit, si je comprends bien, Mrs Lee, de quelque chose qui n'a pas de rapport avec le crime ?

— Non ; aucun. C'est quelque chose qui concerne... ma vie privée.

— Vous feriez mieux de tout nous dire, Mrs Lee, et de nous laisser juges.

— Oui, dit Magdalene, les yeux pleins de larmes, je vous fais confiance. Je sais que je peux. Vous avez l'air si gentil. Vous comprenez, voilà : il y a quelqu'un...

Elle s'arrêta.

— Oui, Mrs Lee ?

— Je voulais téléphoner à quelqu'un hier soir — un homme, un ami à moi, et je ne voulais pas que George le sache. Je sais que c'était très mal de ma part, mais enfin, c'est comme ça. Alors je suis venue pour téléphoner après dîner, pensant qu'à ce moment-là George serait bien tranquillement à la salle à manger. Mais quand je suis arrivée, je l'ai entendu téléphoner, alors j'ai attendu.

— Où avez-vous attendu, madame ? demanda Poirot.

— Il y a un recoin pour les manteaux et les parapluies derrière l'escalier. Il y fait sombre. Je m'y suis glissée parce que, de là, je pouvais voir George sortir de cette pièce. Mais il n'est pas sorti. Et puis il y a eu tout ce bruit et Mr Lee a hurlé, et j'ai couru au premier.

— Donc, votre mari n'a pas quitté cette pièce jusqu'au moment du meurtre ?

— Non.

— Et vous-même, dit Johnson, vous avez attendu dans le renfoncement de l'escalier de 9 heures à 9 heures et quart ?

— Oui, mais je ne pouvais pas le *dire*, vous comprenez ! Ils auraient voulu savoir ce que je faisais là. C'était très très embarrassant pour moi... vous, vous devez bien comprendre, n'est-ce pas ?

— C'était certainement très embarrassant, dit Johnson d'un ton sec.

Elle lui adressa un sourire timide :

— Je suis *tellement* soulagée de vous avoir dit la vérité. Et vous ne répéterez *rien* à mon mari, n'est-ce pas ? Non, je suis sûre que non. Je peux vous faire confiance, à tous les trois.

Elle les engloba dans un dernier regard pathétique puis s'en fut prestement.

Le colonel Johnson poussa un profond soupir :

— Bof ! Il n'est pas *impossible* que ça se soit passé comme ça. C'est une histoire parfaitement plausible. D'un autre côté...

— ... il est tout ce qu'il y a de *possible* que tel ne soit pas le cas, compléta Sugden. Exactement. Nous n'en savons rien.

3

Lydia Lee se tenait devant la fenêtre, au fond du salon. Sa silhouette était à demi dissimulée par les lourdes tentures. Un bruit soudain la fit se retourner pour découvrir Poirot, immobile à l'entrée de la pièce.

— Vous m'avez fait peur, monsieur Poirot.

— Je m'excuse, madame. Je marche doucement.

— J'ai cru que c'était Horbury.

Hercule Poirot hocha la tête.

— C'est vrai qu'il a le pas léger, celui-là. Comme un chat... ou un *voleur.*

Il se tut et la regarda attentivement. Mais il ne vit rien sur son visage, rien d'autre qu'une petite grimace de dégoût.

— Cet homme m'a toujours déplu. Je serai contente de me débarrasser de lui.

— Vous serez fort avisée de le faire, madame.

Elle lui lança un coup d'œil acéré :

— Que voulez-vous dire ? Vous savez quelque chose sur son compte ?

— C'est un homme qui recueille des secrets... pour les utiliser à son profit.

— Vous pensez qu'il sait quelque chose... sur le meurtre ?

Poirot haussa les épaules :

— Il a le pied léger et l'oreille qui traîne. Il peut avoir surpris quelque chose qu'il garde momentanément pour lui.

— Vous voulez dire qu'il pourrait essayer de faire chanter l'un d'entre nous ? demanda Lydia sans y aller par quatre chemins.

— C'est dans le domaine du possible. Mais ce n'est pas ce qui m'amène ici.

— Qu'est-ce qui vous amène ?

— J'ai eu un entretien avec Mr Lee, dit Poirot en pesant ses mots. Il m'a fait une proposition, et je voulais en discuter avec vous avant d'accepter ou de refuser. Mais j'ai été si frappé par le tableau que vous formiez — le délicieux motif de votre robe sur le rouge profond des tentures — que je me suis arrêté pour admirer.

— Vraiment, monsieur Poirot, dit-elle vivement, est-ce bien le moment de se perdre en compliments ?

— Je vous demande pardon, madame. Si peu de dames anglaises ont le sens de la toilette. La robe que vous portiez la première fois que je vous ai vue — ce dessin audacieux et simple à la fois — était un condensé de grâce et de distinction.

— À quel propos vouliez-vous me voir ? s'impatienta Lydia.

Poirot devint grave :

— Simplement ceci, madame. Votre mari désire que je m'occupe de cette enquête. Il me demande de rester ici, dans la maison, et de faire tout ce qui est en mon pouvoir pour avoir le fin mot de cette affaire.

— Eh bien ?

— Je ne saurais accepter une invitation qui n'emporterait pas l'adhésion de la maîtresse de maison, dit gravement Poirot.

— Il va de soi que je m'associe à mon mari pour vous prier d'accepter, dit-elle avec froideur.

— Certes, madame, mais il me faut plus que cela. *Désirez*-vous vraiment me voir accepter ?

— Pourquoi pas ?

— Soyons tout à fait francs. Ce que je vous demande, c'est ceci : souhaitez-vous que la lumière soit faite, oui ou non ?

— Naturellement.

Poirot soupira :

— N'avez-vous donc à m'offrir que ces réponses conventionnelles ?

— Je suis une femme conventionnelle, dit Lydia.

Puis elle se mordit la lèvre, hésita et finit par dire :

— Peut-être vaut-il mieux parler à cœur ouvert. Je vous comprends, bien sûr ! La situation n'a rien d'agréable. Mon beau-père a été sauvagement assassiné et, à moins de parvenir à inculper de vol et de meurtre le suspect le plus plausible — Horbury — ce qui ne semble guère possible —, on en arrive à ceci : *c'est quelqu'un de sa propre famille qui l'a tué.* Or, traduire cette personne en justice revient à jeter sur nous tous l'opprobre et le scandale. Pour être tout à fait honnête, je dois reconnaître que je *ne* souhaite *pas* que cela se produise.

— Vous préférez que le meurtrier reste impuni ?

— Il y a sûrement plus d'un meurtrier impuni qui se promène de par le monde.

— Ça, je vous l'accorde.

— Alors, un de plus, qu'est-ce que cela fait ?

— Et qu'en est-il des autres membres de la famille ? Les innocents ?

Elle le regarda avec stupeur.

— Eh bien, quel est le problème ?

— Vous rendez-vous compte que s'il en est ainsi, *personne ne saura jamais.* Le soupçon continuera de peser sur chacun d'entre vous ?

— Je n'avais pas pensé à ça, dit-elle, troublée.

— *Personne ne saura jamais qui est le coupable...,* répéta Poirot. À moins, madame, ajouta-t-il à mi-voix, que *vous* ne le sachiez déjà ?

— Vous n'avez pas le droit de dire ça ! s'écria-t-elle. Ce n'est pas vrai ! Oh, si seulement ce pouvait être un étranger — pas un membre de la famille !

— Ça pourrait être les deux, dit Poirot.

Elle écarquilla les yeux :

— Que voulez-vous dire ?

— Ce pourrait être un membre de la famille... et en même temps, un étranger. Vous ne voyez pas ce que je veux dire ? Eh bien, c'est une idée qui est venue à l'esprit d'Hercule Poirot.

Il la regarda droit dans les yeux :

— Alors, madame, que dois-je dire à Mr Lee ?

Lydia leva les mains et les laissa retomber dans un geste d'impuissance :

— Vous devez accepter, bien sûr.

4

Pilar était debout au beau milieu de la salle de musique. Mais elle se tenait très raide et ses yeux étaient inquiets, comme ceux d'un animal qui flaire le danger.

— Je veux m'en aller d'ici !

— Vous n'êtes pas la seule à en avoir envie, lui répondit gentiment Stephen Farr. Mais ils ne vous laisseront pas partir, mon chou.

— Vous voulez dire... la police ?

— Oui.

— Ce n'est pas agréable d'avoir affaire à la police, dit Pilar avec un grand sérieux. C'est une chose qui ne devrait pas arriver à des gens respectables.

— Vous parlez de vous ? demanda Stephen avec un petit sourire.

— Non, je parle d'Alfred et de Lydia et de David et de George et de Hilda et... oui, même de Magdalene.

Stephen alluma une cigarette et en tira quelques bouffées.

— Pourquoi cette restriction ?

— Je vous demande pardon ?

— Pourquoi laisser de côté frère Harry ? dit Stephen.

Pilar se mit à rire, découvrant des dents blanches et régulières.

— Oh, Harry, c'est autre chose ! Je crois qu'il sait très bien ce que c'est que d'avoir affaire à la police.

— Vous avez peut-être raison. C'est vrai qu'il est un peu trop pittoresque pour coller dans le tableau de famille.

Il changea brusquement de sujet :

— Vous aimez bien votre famille anglaise, Pilar ?

— Ils sont... gentils, répondit-elle d'une voix hésitante. Ils sont tous très gentils. Mais ils ne rient pas souvent, ils ne sont pas gais.

— Ma chère petite, il vient d'y avoir un meurtre dans cette maison !

— Bof... oui, dit Pilar sans conviction.

— Un meurtre, énonça doctement Stephen, n'est pas un événement qui se produit tous les quatre matins, comme on pourrait le croire à voir votre insouciance. Pour l'Espagne, je ne sais pas... Mais en Angleterre, on prend le crime au sérieux.

— Vous vous moquez de moi, dit Pilar.

— Vous vous trompez. Je ne suis pas d'humeur à plaisanter.

Pilar le regarda longuement :

— Parce que vous aussi, vous voulez partir d'ici ?

— Oui.

— Et ce beau policier si bien bâti ne vous laissera pas faire ?

— Je ne le lui ai pas demandé. Mais il ne fait aucun doute qu'il refuserait. Il faut que je prenne bien garde où je mets les pieds, Pilar, et que je sois très très prudent.

— C'est fatigant, dit Pilar en hochant la tête.

— C'est même un peu plus que ça, ma chère. Et maintenant, on a cet étranger bizarre qui fourre son nez partout. Je ne crois pas qu'il arrive à grand-chose, mais il me rend nerveux.

Pilar avait l'air de réfléchir intensément :

— Mon grand-père était très, très riche, non ?

— J'imagine, oui.

— À qui va aller son argent, maintenant ? À Alfred et aux autres ?

— Ça dépend de son testament.

— Il aurait pu me laisser de l'argent, dit-elle pensivement, mais j'ai bien peur qu'il ne l'ait pas fait.

— Tout ira bien, dit gentiment Stephen. Après tout, vous faites partie de la famille. C'est chez vous, ici. Il faudra bien qu'ils s'occupent de vous.

— Oui, dit Pilar avec un grand soupir, c'est chez moi, ici... C'est très amusant, ça. Mais en fait ce n'est pas amusant du tout.

— Je comprends que vous ne trouviez pas ça hilarant.

Pilar poussa un nouveau soupir :

— Croyez-vous que nous pourrions faire marcher le gramophone et danser un peu ?

Stephen prit un air circonspect.

— Ça ne ferait pas très bon effet. Cette maison est en deuil, figurez-vous, petite horreur d'Espagnole sans cœur !

— Mais je ne me sens pas triste du tout, dit Pilar en ouvrant ses grands yeux. Parce que je ne connaissais pas vraiment mon grand-père, et même si j'aimais bien parler avec lui, je ne veux pas pleurer et avoir l'air malheureuse parce qu'il est mort. C'est très bête, de faire semblant.

— Vous êtes adorable ! s'exclama Stephen.

— On pourrait mettre des bas et des gants dans le gramophone, suggéra Pilar d'une voix câline, comme ça, ça ne ferait pas trop de bruit et personne n'entendrait.

— Alors, allons-y, tentatrice !

Elle eut un rire joyeux et partit en courant vers la salle de danse, à l'autre bout de la maison.

À la hauteur du passage qui menait à la porte du jardin, elle se figea sur place et Stephen, qui l'avait rattrapée, en fit autant.

Hercule Poirot avait décroché un portrait du mur

et l'examinait à la lumière qui venait de la terrasse. Il leva les yeux et s'aperçut de leur présence.

— Tiens, tiens ! dit-il. Vous tombez bien.

— Que faites-vous ? demanda Pilar.

Elle vint se placer à côté de lui. Poirot expliqua gravement :

— Je suis en train d'étudier quelque chose de très important : le visage de Simeon Lee jeune homme.

— Oh, c'est mon grand-père, ça ?

— Oui, mademoiselle.

Elle contempla longuement le portrait.

— Quelle différence..., dit-elle lentement... Quelle différence... Il était si vieux, si desséché... Là, il ressemble à Harry, comme Harry a pu être il y a dix ans.

Hercule Poirot hocha la tête :

— Oui, mademoiselle. Harry Lee est bien le fils de son père. Et là... (il la guida le long de la galerie), voici madame votre grand-mère : un long visage doux, des cheveux très blonds, des yeux bleu pâle.

— Comme David, dit Pilar.

— Un peu Alfred aussi, dit Stephen.

— L'hérédité, dit Poirot, c'est très intéressant. Mr Lee et sa femme étaient des types diamétralement opposés. Dans l'ensemble, les enfants issus de ce mariage ont pris du côté de leur mère. Voyez ici, mademoiselle.

Il pointa du doigt un tableau représentant une jeune fille d'à peine vingt ans avec des cheveux comme des fils d'or et de grands yeux bleus rieurs. Les tons rappelaient l'épouse de Simeon Lee, mais il y avait dans ce portrait-ci un esprit, une vivacité qui n'avaient jamais habité les yeux pâles et les traits placides de l'autre.

— Oh ! dit Pilar.

Le rouge lui monta au visage tandis qu'elle portait la main à son cou. Elle tira un médaillon au bout d'une chaîne d'or, et l'ouvrit d'une pression du doigt. Le même visage rieur regarda Poirot.

— Ma mère, dit Pilar.

Poirot hocha la tête. L'autre face du médaillon contenait le portrait d'un homme. Il était jeune et beau, avec des cheveux noirs et des yeux bleu foncé.

— Votre père ? dit Poirot.

— Oui, dit Pilar, c'est mon père. Il est follement beau, non ?

— Tout à fait. Peu d'Espagnols ont les yeux bleus, n'est-ce pas, señorita ?

— Parfois, dans le Nord. Et puis la mère de mon père était irlandaise.

— Ainsi, dit pensivement Poirot, vous avez du sang espagnol, irlandais et anglais, et une goutte de sang tsigane aussi. Savez-vous ce que je pense, mademoiselle ? Qu'avec un pareil héritage, vous feriez une ennemie redoutable.

Stephen éclata de rire :

— Vous vous rappelez ce que vous m'avez dit dans le train, Pilar ? Que vous, vos ennemis, vous leur couperiez la gorge... Oh !

Il s'interrompit, soudain conscient de la portée de ses paroles. Hercule Poirot s'empressa de changer de conversation :

— Ah, à propos, señorita, il y a une chose que je voulais vous demander : votre passeport. Mon ami le superintendant en a besoin. Comme vous le savez, il y a des règlements de police — très stupides et très assommants, mais inévitables — pour les étrangers dans ce pays. Et bien sûr, aux yeux de la loi, vous êtes une étrangère.

Pilar leva les sourcils :

— Mon passeport ? Oui, je vais le chercher, il est dans ma chambre.

Poirot lui emboîta le pas tout en s'excusant encore :

— Je suis navré de vous ennuyer avec ça, croyez-le bien.

Ils étaient arrivés au bout de la galerie ; de là partait un escalier. Pilar le grimpa en courant, Poirot à sa suite. Stephen fermait la marche. La chambre de Pilar se trouvait juste au débouché de l'escalier.

— Je vais vous le chercher, dit-elle devant sa porte.

Et elle s'engouffra tandis que Poirot et Stephen Farr restaient à attendre.

— Quel idiot ! Je m'en veux d'avoir dit ça, dit Stephen, tout contrit. Mais je ne crois pas qu'elle l'ait remarqué, en fait, pas vous ?

Poirot ne répondit pas. Il tenait la tête un peu de côté, comme s'il écoutait quelque chose.

— Les Anglais raffolent du grand air, finit-il par dire. Miss Estravados a dû hériter de cette passion.

— Pourquoi ? demanda Stephen, éberlué.

— Parce que, répondit doucement Poirot, bien qu'il fasse extrêmement froid aujourd'hui — il y a du verglas alors qu'hier il faisait si bon —, miss Estravados vient d'ouvrir sa fenêtre en grand. C'est stupéfiant d'aimer l'air frais à ce point.

Il y eut une brusque exclamation en espagnol dans la chambre et Pilar réapparut en riant, l'air confus.

— Ah, c'est trop bête ! s'écria-t-elle. Je suis d'une maladresse ! Ma petite valise était posée sur l'appui de la fenêtre, et j'ai fouillé dedans tellement vite que j'ai bêtement fait tomber mon passeport par la fenêtre. Il est dans le parterre de fleurs en dessous. Je cours le chercher.

— J'y vais, dit Stephen.

Mais Pilar s'était déjà élancée.

— Non, non, c'est de ma faute, cria-t-elle par-dessus son épaule. Allez dans le salon avec Mr Poirot, je vous l'apporterai là-bas.

Stephen Farr parut tenté de courir après elle, mais la main de Poirot s'abattit doucement sur son bras, et sa voix ordonna :

— Allons de ce côté.

Ils parcoururent le couloir du premier étage en

direction de l'autre extrémité de la maison, et parvinrent devant le grand escalier.

— Ne descendons pas tout de suite, proposa Poirot. Si vous voulez bien, allons dans la chambre du crime, il y a quelque chose que je voudrais vous demander.

Ils prirent le corridor qui menait à la chambre de Simeon Lee. Sur la gauche, ils passèrent devant une alcôve qui abritait deux statues de marbre, deux robustes nymphes agrippées à leurs chlamydes dans un paroxysme de décence victorienne.

Stephen Farr leur lança un coup d'œil :

— À la lumière du jour, elles vous font froid dans le dos ! Quand je suis passé devant l'autre soir, j'ai cru qu'il y en avait trois — mais Dieu merci elles ne sont que deux !

— Ce n'est plus dans le goût actuel, admit Poirot. Mais, en leur temps, elles ont certainement dû coûter une fortune. Elles font meilleur effet la nuit, je pense.

— Oui, on ne distingue alors que leurs silhouettes blafardes.

— La nuit, tous les chats sont gris ! murmura Poirot.

Ils trouvèrent le superintendant Sugden dans la chambre, agenouillé près du coffre qu'il examinait à l'aide d'une loupe. Il leva les yeux vers eux :

— Il a bien été ouvert avec la clé, par quelqu'un qui connaissait la combinaison. Aucun signe d'effraction.

Poirot s'approcha et lui chuchota quelque chose à l'oreille. Le superintendant hocha la tête et quitta la pièce.

Poirot se retourna vers Stephen Farr, qui contemplait, immobile, le fauteuil où Simeon Lee avait l'habitude de s'asseoir. Il semblait troublé et une veine battait sur son front. Poirot le regarda un long moment, avant de rompre le silence :

— Ça vous rappelle des souvenirs, hein... ?

— Il y a deux jours, dit lentement Stephen, il était assis là, bien vivant. Et maintenant...

Il s'ébroua :

— Eh bien, monsieur Poirot, vous m'avez amené ici pour me demander quelque chose... ?

— Ah, oui. C'est bien vous qui êtes arrivé le premier sur les lieux l'autre soir ?

— Vous croyez ? Je ne m'en souviens pas. Non, je crois qu'une des dames était ici avant moi.

— Laquelle ?

— La femme de George ou celle de David, je ne sais plus. Elles sont toutes les deux arrivées assez vite.

— Vous n'avez pas entendu le cri, avez-vous dit ?

— Je ne crois pas, non. Je ne m'en souviens plus très bien. Quelqu'un a crié, mais c'était peut-être quelqu'un en bas.

— Vous n'avez pas entendu quelque chose comme ça ?

Poirot renversa la tête en arrière et poussa soudain un hurlement strident.

C'était si inattendu que Stephen eut un mouvement de recul et manqua tomber.

— Bon sang de bonsoir ! s'écria-t-il avec colère, vous voulez donc ameuter toute la maison ? Non, je n'ai rien entendu qui ressemblait à ça ! Vous avez dû semer la panique ! Ils vont croire qu'il y a eu un nouveau meurtre !

Poirot prit un air penaud :

— C'est vrai..., murmura-t-il. C'était idiot. Il faut les prévenir tout de suite.

Il sortit en toute hâte. Lydia et Alfred étaient au pied de l'escalier, la tête levée ; George sortit de la bibliothèque pour les rejoindre et Pilar arriva en courant, son passeport à la main.

— Ce n'est rien, ce n'est rien ! claironna Poirot. Ne vous inquiétez pas. Je me livrais à une petite expérience. C'est tout.

Alfred eut l'air fâché et George, indigné. Poirot laissa Stephen se charger des explications et fila vers l'autre extrémité de la maison.

Au bout du couloir, le superintendant Sugden sortait discrètement de la chambre de Pilar.

— Eh bien ? demanda Poirot.

Le superintendant secoua la tête :

— Rien entendu.

Puis il croisa le regard de Poirot et hocha la tête avec admiration.

5

— Alors, vous acceptez, monsieur Poirot ? dit Alfred Lee.

Il porta à sa bouche une main légèrement tremblante. Dans son bon regard brun brillait une fébrilité inhabituelle. Sa parole était saccadée. Lydia, debout près de lui, anxieuse, le regardait, sans rien dire.

— Vous ne savez pas, dit Alfred... Vous ne... n'... n'imaginez pas ce que ce... cela re... représente pour moi. Le meurtrier de mon père doit être t... tr... trouvé.

— Puisque vous m'assurez avoir mûrement réfléchi et pesé le pour et le contre, eh bien, oui, j'accepte. Mettez-vous cependant bien en tête, Mr Lee, qu'il ne peut y avoir de retour en arrière. Je ne suis pas un chien qu'on lance sur une piste et qu'on siffle pour le rappeler parce qu'on n'aime pas le gibier qu'il a levé !

— Bien sûr... bien sûr... Tout est prêt. Votre chambre a été préparée. Restez aussi longtemps que vous voudrez.

— Ce ne sera pas long, assura Poirot d'un ton grave.

— Hein ? Quoi ?

— J'ai dit que ce ne serait pas long. Dans cette affaire, le cercle des suspects est si restreint que je ne peux manquer de découvrir rapidement la vérité. Je crois que nous approchons déjà de la fin.

Alfred le fixa avec stupeur :

Impossible !

— Pas du tout. Tous les faits convergent plus ou moins dans une même direction. Il reste encore à éclaircir quelques détails insignifiants. Quand ce sera fait, la vérité apparaîtra.

— Vous voulez dire que vous *savez* ? demanda Alfred d'une voix incrédule.

Poirot sourit :

— Oh oui, je sais.

— Mon père... mon père..., dit Alfred.

Puis il se détourna.

Poirot, lui, enchaîna sans prendre de gants :

— J'ai deux requêtes à vous adresser.

— Tout ce que vous voudrez, dit Alfred d'une voix sourde.

— D'abord, je voudrais que le portrait de jeunesse de Mr Lee soit placé dans la chambre que vous avez eu la bonté de m'attribuer.

Alfred et Lydia le contemplèrent, bouche bée.

— Le portrait de mon père ! finit par dire Alfred. Mais pourquoi ?

Poirot eut un geste vague de la main :

— Eh bien, disons qu'il va... m'inspirer.

— Vous proposez-vous, monsieur Poirot, persifla Lydia, de résoudre ce crime par la voyance ?

— Disons, madame, que j'entends utiliser non seulement les yeux du corps, mais également ceux de l'esprit.

Elle haussa les épaules.

Poirot reprit :

— Ensuite, Mr Lee, j'aimerais connaître les circonstances exactes qui ont entouré la mort du mari de votre sœur, Juan Estravados.

— Est-ce indispensable ? demanda Lydia.

— Il me faut tous les faits, madame.

— Au cours d'une querelle à propos d'une femme, articula Alfred, Juan Estravados a tué un homme dans un café.

— Comment l'a-t-il tué ?

Alfred jeta à Lydia un regard de détresse. Elle répondit d'une voix égale :

— Il l'a poignardé. Juan Estravados n'a pas été condamné à mort, parce qu'il y avait eu provocation. Il s'est vu infliger une lourde peine d'emprisonnement et il est mort en prison.

— Sa fille est-elle au courant ?

— Je ne crois pas.

— Non, intervint Alfred. Jennifer ne le lui a jamais dit.

— Merci.

— Vous ne croyez pas que Pilar..., commença Lydia. Oh, c'est absurde !

— À présent, Mr Lee, poursuivit Poirot, consentirez-vous à me donner quelques renseignements sur votre frère, Mr Harry Lee ?

— Que voulez-vous savoir ?

— J'ai cru comprendre qu'il était plus ou moins la honte de la famille. Pourquoi ?

— C'est si loin, murmura Lydia.

— Si vous voulez le savoir, monsieur Poirot, dit Alfred, tandis que le rouge lui montait au front, il a volé une grosse somme d'argent en imitant la signature de mon père sur un chèque. Comme de bien entendu, mon père n'a pas porté plainte. Harry a toujours été un filou. Il a eu des ennuis dans le monde entier. Il a passé sa vie à envoyer des câbles pour qu'on le sorte du pétrin. Il a été en prison un petit peu partout.

— Tout ça, tu ne le *sais* pas vraiment, Alfred ! dit Lydia.

Les mains de son mari se remirent à trembler sous le coup de la colère.

— Harry est un vaurien, un vaurien et un escroc ! Il l'a toujours été !

— À ce que je vois, dit Poirot, vous n'éprouvez pas l'un pour l'autre un amour immodéré ?

— Il a bafoué mon père — il l'a ignoblement bafoué !

Lydia poussa un soupir — un infime soupir d'impatience. Poirot l'entendit et lui jeta un coup d'œil acéré.

— Si seulement on pouvait retrouver ces diamants, dit-elle. Je suis sûre que c'est là que réside la solution.

— *Mais on les a retrouvés, madame,* dit Poirot.

— Quoi ?

Poirot susurra :

— On les a retrouvés dans votre petit jardin de la mer Morte...

— Dans mon jardin ? Ça alors ! Ça, c'est... c'est inimaginable !

— N'est-ce pas, madame ? fit Poirot dont la voix n'était plus qu'un murmure.

SIXIÈME PARTIE

27 DÉCEMBRE

1

Alfred Lee poussa un soupir :

— Ça s'est passé mieux que je ne le craignais !

Ils sortaient tout juste du tribunal.

Mr Charlton, notaire de la vieille école à l'œil bleu circonspect, s'y était rendu également et en était revenu avec eux :

— Je vous l'avais bien dit, que ce n'était qu'une simple formalité et que l'affaire serait renvoyée pour supplément d'enquête !

— Tout ceci est très déplaisant, on ne peut plus déplaisant ! intervint George Lee, extrêmement mortifié. Quelle situation ! Pour ma part, je suis convaincu que le meurtre a été commis par un fou qui a réussi à s'introduire dans la maison. Mais ce Sugden est têtu comme une mule. Le colonel Johnson devrait faire appel à Scotland Yard. Cette police locale est nulle. De vrais péquenots. Où en sont-ils à propos de Horbury, par exemple ? Le bruit court que son passé est plus que douteux, mais il en faut apparemment davantage pour émouvoir la police.

— Que voulez-vous, fit Mr Charlton, il apparaît que votre Horbury a un alibi satisfaisant pour l'heure en question. À tout le moins, la police l'a jugé tel.

— Et pourquoi donc ? fulmina George. À leur place, je n'accepterais un tel alibi qu'avec réserve — avec les plus extrêmes réserves. Un criminel a toujours un alibi, cela va de soi ! Le rôle de la police, c'est précisément de le démolir — enfin, quand elle connaît son travail.

— Allons, allons ! le gronda gentiment Mr Charlton, je ne pense pas que ce soit à nous d'apprendre à la police son métier. Ce sont des gars très compétents, dans l'ensemble.

George secoua sombrement la tête :

— Il faudrait exiger l'intervention de Scotland Yard. Je ne suis pas du tout satisfait du superintendant Sugden ; il se donne peut-être du mal, mais il n'est franchement pas brillant !

— Je ne suis pas d'accord avec vous, protesta Mr Charlton. Sugden est un bon policier. Il se garde de jouer les matamores, ce qui ne l'empêche pas d'obtenir des résultats.

— Je suis sûre que la police fait de son mieux, intervint Lydia. Un verre de sherry, Mr Charlton ?

Mr Charlton déclina poliment. Puis il s'éclaircit la gorge et, en présence de tous les membres de la famille, procéda à la lecture du testament.

Il lisait avec une certaine délectation, se gargarisant de la phraséologie la plus alambiquée, savourant la technicité du document.

Une fois sa lecture terminée, il ôta ses lunettes, les essuya, et promena sur l'assemblée un regard interrogateur.

— Tout ce jargon juridique est un peu difficile à suivre, dit Harry Lee. Donnez-nous les grandes lignes, voulez-vous ?

— Pourtant, dit Mr Charlton, ce testament est d'une parfaite limpidité.

— Seigneur ! ricana Harry. Alors qu'est-ce que ce serait qu'un testament compliqué !

Mr Charlton le moucha d'un regard froid :

— Les dispositions principales sont fort simples. La moitié de la fortune de Mr Lee revient à son fils, Mr Alfred Lee, le reste est divisé en parts égales entre ses autres enfants.

Harry eut un rire mauvais :

— Comme toujours, Alfred a touché le gros lot ! La moitié de la fortune de mon père ! C'est toi le petit veinard, hein, Alfred !

Alfred rougit :

— Alfred a toujours été un fils loyal et dévoué, dit sèchement Lydia. Il s'est occupé de l'affaire familiale pendant des années et en a porté seul le poids.

— Oh, ça, d'accord ! grinça Harry. Alfred a toujours été le bon fi-fils à son papa.

— Tu devrais déjà t'estimer heureux que mon père t'ait laissé quelque chose ! répliqua Alfred.

Harry renversa la tête et se mit à rire :

— Tu aurais voulu qu'il me déshérite purement et simplement, c'est ça ? Tu n'as jamais pu me voir en peinture !

Mr Charlton toussota. Il n'était que trop habitué aux scènes pénibles qui suivaient l'ouverture d'un testament et, là, il avait hâte de s'éclipser avant que ça ne dégénère pour de bon.

Il murmura :

— Je crois que... euh..., miss Estravados n'est pas mentionnée dans le testament.

— Ne reçoit-elle pas la part de sa mère ?

— Si la señora Estravados avait vécu, expliqua le notaire, elle aurait bien sûr reçu une part égale aux vôtres. Mais comme elle est morte, la part qui aurait dû lui revenir réintègre la succession pour être partagée entre vous.

— Alors... je n'ai... rien ? dit lentement Pilar — et sa voix sembla soudain plus latine, plus exotique.

— Ma chérie, s'exclama Lydia, la famille y pourvoira, bien sûr.

— Vous pourrez vous installer ici avec Alfred — hein Alfred ? dit George. Nous... euh... vous êtes notre nièce, nous ferons notre devoir.

— Nous serons toujours heureux d'avoir Pilar avec nous, dit Hilda.

— Elle devrait avoir sa part. Elle devrait avoir l'héritage de Jennifer, protesta Harry, tandis que Mr Charlton murmurait :

— Bon... hum..., il faut vraiment que je parte... Au revoir, Mrs Lee. Si je peux faire quelque chose, n'hésitez pas... à votre entière disposition...

Il prit la fuite. Son expérience lui permettait de juger que tous les ingrédients étaient réunis pour une empoignade familiale.

Au moment où la porte se refermait sur lui, Lydia disait d'une voix ferme :

— Je suis d'accord avec Harry. Je pense que Pilar a droit à sa part. Ce testament a été fait des années avant la mort de Jennifer.

— Absurde ! s'écria George. Proposition inconvenante et illégale, Lydia. La loi est la loi. Nous devons nous y conformer.

— Ce n'est pas de chance, appuya Magdalene, et nous sommes tous désolés pour Pilar, bien sûr. Mais George a raison. Comme il dit, la loi est la loi.

Lydia se leva et prit Pilar par la main.

— Ma chérie, dit-elle, tout ceci doit être très déplaisant pour vous. Voulez-vous nous laisser pendant que nous discutons de cette question ?

Elle mena la jeune fille vers la porte :

— Ne vous inquiétez pas, Pilar chérie. Laissez-moi faire.

Pilar sortit de la pièce à pas lents. Lydia ferma la porte derrière elle et se retourna vers les autres.

Il y eut un moment de silence pendant lequel tout le monde retint son souffle ; l'instant d'après, la mêlée était générale.

— Tu as toujours été un sale rapiat, George !

— En tout cas, rétorqua George, je n'ai jamais été un parasite et un tapeur !

— Tu veux rire, oui ! Tu n'as jamais rien fait d'autre que vivre aux crochets de Père !

— Tu as l'air d'oublier ma position, mes responsabilités...

— Responsabilités, mon œil ! Tu remues beaucoup d'air, c'est tout ce que tu sais faire !

— Comment osez-vous ! glapit Magdalene.

La voix calme de Hilda s'éleva au-dessus du tumulte :

— Ne pourrions-nous pas nous contenter de discuter *calmement* ?

Lydia lui lança un regard reconnaissant.

— Tout ce déballage sordide pour une question de *gros sous* ! intervint David avec une soudaine violence. Est-ce vraiment nécessaire ?

— Vous me faites rire avec votre grandeur d'âme, siffla Magdalene, venimeuse. Vous n'allez pas refuser votre part, n'est-ce pas ? Vous voulez votre argent tout autant que nous tous ! Tout ce beau détachement, ça n'est que de la pose !

— Vous pensez que je devrais le refuser ? dit David d'une voix étranglée. Je me demande, en effet, si...

— Bien sûr que non, répliqua vivement Hilda. Faut-il vraiment que nous nous comportions comme des enfants ? Alfred, vous êtes le chef de famille...

Alfred parut sortir d'un rêve :

— Je vous demande pardon. Mais si vous vous mettez tous à crier en même temps, je... je ne sais plus où j'en suis.

— Comme Hilda vient de le dire, reprit Lydia, nous ne sommes pas forcés de nous comporter comme des gamins voraces ! Parlons calmement, raisonnablement et... chacun à son tour. Alfred d'abord, puisque c'est lui l'aîné. Alfred, dis-nous ce que tu penses, que devons-nous faire à propos de Pilar ?

— Elle doit s'installer ici, c'est certain, répondit-il lentement. Et nous devrions lui verser une rente. Je ne vois pas qu'elle ait de droit légal sur l'argent qui aurait dû revenir à sa mère. Et de plus, ce n'est pas une Lee : elle est citoyenne espagnole.

— Un droit légal, non, répliqua Lydia. Mais j'estime qu'elle a un droit moral sur cet argent. Tel que j'en peux juger, et bien qu'elle ait épousé un Espagnol contre son gré, ton père avait reconnu à sa fille un droit égal à hériter. George, Harry, David et Jennifer devaient recevoir chacun une part égale. Jennifer n'est morte que l'an dernier, et je suis certaine qu'il avait l'intention de mettre Pilar en bonne place dans son nouveau testament. Il lui aurait au moins attribué la part de sa mère. Et il aurait peut-être fait bien davantage. N'oubliez pas qu'elle était son unique petite-fille. Je crois que le moins que nous puissions faire, c'est d'essayer de réparer une injustice, que votre père lui-même s'apprêtait à corriger.

Alfred approuva avec chaleur :

— Bien dit, Lydia. J'avais tort. Pilar doit recevoir la part qu'aurait eue Jennifer, je suis d'accord.

— À vous, Harry, dit Lydia.

— Je suis d'accord, comme je l'ai déjà dit. Je trouve que Lydia a très clairement exposé la situation, et je tiens à préciser que je l'en admire.

— George ? demanda Lydia.

George était cramoisi.

— En aucun cas ! bafouilla-t-il. C'est complètement aberrant ! Qu'on lui donne un foyer et une pension décente pour qu'elle ait de quoi se vêtir. C'est amplement suffisant !

— Alors, tu refuses de coopérer ? dit Alfred.

— Catégoriquement.

— Et il a parfaitement raison, s'écria Magdalene. Cette suggestion est tout bonnement scandaleuse ! Si on considère que George est le *seul* membre de la famille à avoir jamais fait *quoi que ce soit* dans la vie, je trouve déjà honteux que son père lui ait laissé si peu !

— David ? dit Lydia.

— Oh, j'estime que vous n'avez pas tort, répondit David, l'esprit ailleurs. On aurait pu s'épargner ces disputes sordides.

— Vous avez tout à fait raison, Lydia, approuva Hilda. Ce n'est que justice !

Harry jeta un regard à la ronde.

— Eh bien, dit-il, c'est clair. Alfred, moi-même et David soutenons la motion. George est contre. Les « oui » l'emportent.

— Il n'est pas question de « oui » ou de « non », tonna George. Ma part de l'héritage de mon père me revient en toute propriété. Je n'en céderai pas un penny.

— Sûrement pas, appuya Magdalene.

— Si vous voulez vous abstenir, dit sèchement Lydia, c'est votre affaire. À nous tous, nous compenserons votre participation.

Elle jeta un regard circulaire et les autres hochèrent la tête.

— Alfred se taille la part du lion, dit Harry. C'est lui qui devrait casquer le plus.

— Je vois que tes propositions désintéressées ne tiennent pas longtemps, dit Alfred.

Hilda intervint d'un ton ferme :

— Ne recommençons pas ! Lydia va dire à Pilar ce que nous avons décidé. Les détails peuvent être réglés plus tard.

Et pour faire diversion, elle ajouta :

— Je me demande où sont passés Mr Farr et Mr Poirot ?

— Nous avons laissé Poirot au village en allant au tribunal, répondit Alfred. Il avait une course importante à faire.

— Pourquoi n'est-il pas venu à l'audience ? s'étonna Harry. Il aurait dû être là !

— Peut-être savait-il que ce serait sans intérêt, dit Lydia. Qui est dans le jardin, là-bas ? Le superintendant Sugden, ou Mr Farr ?

Les efforts des deux femmes furent enfin récompensés : le conclave prit fin.

Lydia prit Hilda à part :

— Merci, Hilda. Heureusement que vous étiez là pour me soutenir. Je ne peux pas vous dire à quel point votre présence m'a fait du bien.

— Curieux, dit celle-ci, songeuse, comme l'argent peut faire perdre la tête.

Les autres avaient quitté la pièce, les deux femmes étaient seules.

— Oui, approuva Lydia. Même Harry, et pourtant, c'était sa proposition ! Et mon pauvre Alfred — il est si britannique ! Ça lui déplaît, au fond, que l'argent des Lee aille à une citoyenne espagnole.

Hilda sourit :

— Croyez-vous que nous, les femmes, nous sommes plus désintéressées ?

Lydia haussa légèrement ses épaules gracieuses :

— Eh bien, vous savez, ce n'est pas vraiment notre argent, pas notre argent *à nous* ! C'est peut-être ça qui fait la différence.

— C'est une gamine bizarre, dit Hilda d'un ton pensif. Pilar, je veux dire. Je me demande ce qu'elle va devenir.

Lydia soupira :

— Je suis contente qu'elle soit financièrement indépendante. Vivre ici au bout de la table et avec trois sous pour pouvoir s'habiller ne lui aurait guère plu, je pense. Elle est trop fière et... et je crois aussi, trop... *étrangère*.

Elle ajouta, rêveuse :

— Une fois, j'ai rapporté d'Égypte un beau collier en lapis. Là-bas, contre le soleil et le sable, il avait une couleur merveilleuse, un bleu chaud, brillant. Mais à la maison, le bleu avait perdu tout son éclat. Ce n'était plus qu'un rang de pierres ternes, sombres.

— Je comprends, dit Hilda.

— Je suis si heureuse de vous connaître enfin,

vous et David, dit gentiment Lydia. Je suis contente que vous soyez venus tous les deux.

Hilda soupira :

— Dieu sait que je l'ai regretté, ces derniers jours !

— Je m'en doute... Mais vous savez, Hilda, le choc n'a pas affecté David autant qu'on aurait pu le craindre. Je veux dire, il est si sensible, il aurait pu en ressortir complètement brisé. En réalité, il n'a jamais eu l'air aussi bien que depuis le meurtre...

Hilda accusa le coup :

— Ah, vous avez remarqué ça ? C'est assez affreux, en un sens... Mais... Oh, Lydia, c'est indéniable !

Elle resta silencieuse quelques instants, repensant aux paroles prononcées par son mari pas plus tard que la nuit précédente. Le regard ardent, ramenant ses cheveux blonds en arrière, il avait déclaré :

— Hilda, tu te souviens dans *Tosca,* quand Scarpia est mort et que Tosca allume des cierges à sa tête et à ses pieds ? Tu te rappelles ce qu'elle dit : « *À présent,* je peux lui pardonner... » C'est ce que je ressens à propos de Père. Je vois maintenant que pendant toutes ces années j'ai été incapable de lui pardonner, et pourtant je le souhaitais vraiment... Mais, non... *Maintenant,* il n'y a plus de haine en moi. Tout est effacé. Et je sens... oh, j'ai l'impression d'être délivré d'un poids écrasant.

Elle avait demandé, luttant contre une sourde crainte :

— Parce qu'il est mort ?

Il avait répondu très vite, tout vibrant de ferveur :

— Non, non, tu ne comprends pas. Pas parce qu'il est mort, mais parce que ma stupide haine, ma haine infantile est morte !

Hilda réfléchissait à ces paroles, à présent.

Elle aurait voulu les répéter à la femme qui se tenait à son côté, mais elle sentit instinctivement qu'il était plus sage de n'en rien faire.

Elles sortirent toutes deux du salon.

Magdalene était là, dans le hall, près de la table, un petit paquet à la main. Elle sursauta en les voyant.

— Oh, dit-elle, ce doit être la course importante de Mr Poirot. Je viens de le voir la déposer ici. Je me demande ce que c'est.

Elle les regarda tour à tour avec un petit glousse-ment, mais ses yeux, durs et inquiets, contredisaient la gaieté affectée de ses paroles.

Lydia haussa les sourcils.

— Il faut que j'aille faire ma toilette pour le déjeu-ner, dit-elle.

Magdalene reprit sur le même ton puéril, impuis-sant à dissimuler l'accent désespéré de sa voix :

— Il faut absolument que je regarde !

Elle défit le papier et poussa un cri aigu en regar-dant dans sa main.

Lydia s'arrêta, Hilda aussi. Les deux femmes vin-rent voir à leur tour.

— Une fausse moustache ! dit Magdalene d'une voix effarée. Mais... mais pourquoi ?

— Un déguisement ? suggéra Hilda sans y croire. Pourtant...

Lydia termina à sa place :

— Pourtant, Mr Poirot a une très belle moustache bien à lui !

Magdalene refit le paquet :

— Je ne comprends pas. C'est... c'est complète-ment *dément ! Pourquoi* Mr Poirot a-t-il acheté une fausse moustache ?

2

En sortant du salon, Pilar tomba sur Stephen Farr, qui arrivait par la porte du jardin.

— Alors ? Le conclave est terminé ? Le testament a été lu ? demanda-t-il.

— Je n'ai rien, rien du tout ! dit Pilar, la gorge serrée. C'est un testament qu'il avait fait il y a des années. Mon grand-père avait laissé de l'argent à ma mère, mais comme elle est morte, ça leur revient à eux, pas à moi.

— Ça ne paraît pas très juste, dit Stephen.

— Si ce pauvre vieux avait vécu, reprit Pilar, il aurait fait un autre testament. Il m'aurait laissé de l'argent *à moi*, plein d'argent ! Peut-être qu'avec le temps il m'aurait laissé *tout* son argent !

Stephen sourit :

— Ça n'aurait pas été très juste non plus, non ?

— Pourquoi pas ? Ç'aurait été parce qu'il me préférait, voilà tout.

— Quelle gourmande vous êtes. Une vraie petite chercheuse d'or.

— Le monde est très cruel pour les femmes, répondit sobrement Pilar. Elles doivent mettre les bouchées doubles et amasser le maximum tant qu'elles sont jeunes. Parce que, quand on est vieux et laid, plus personne ne lèvera le petit doigt pour vous.

— C'est assez exact, répondit gravement Stephen. Mais ce n'est pas *tout à fait* exact. Alfred Lee, par exemple : malgré tout ce que son père lui faisait subir, eh bien il l'aimait réellement.

Pilar releva fièrement le menton :

— Alfred est un crétin, assena-t-elle.

Stephen se mit à rire.

— Allez, ne vous inquiétez pas, charmante Pilar. Les Lee seront obligés de s'occuper de vous, vous savez.

Pilar prit un air lamentable :

— Ça ne va pas être très amusant, ça.

— Non, j'ai bien peur que non, en effet. Je vous vois mal habiter ici, Pilar. Cela vous dirait de venir en Afrique du Sud ?

Pilar fit oui de la tête, et Stephen poursuivit :

— Il y a du soleil, là-bas, et de l'espace. Mais le travail y est dur. Vous êtes travailleuse, Pilar ?

— Je ne sais pas, dit-elle, dubitative.

— Vous préférez vous empiffrer de sucreries toute la sainte journée à votre balcon ? Et devenir une grosse dondon avec un triple menton ?

Pilar se mit à rire.

— Ah, voilà qui est mieux, dit Stephen. Je vous ai fait rire !

— Je croyais que j'allais m'amuser pour Noël ! gémit Pilar. Dans les livres que j'ai lus, c'est très gai, un Noël anglais, on mange des raisins flambés et il y a un pudding couronné de flammes et un machin qu'on appelle une bûche de Noël.

— Ah, il faut que vous ayez un vrai Noël, sans meurtre. Venez par ici. Lydia m'a montré tout ça hier. C'est sa réserve.

Il la mena jusqu'à une petite pièce à peine plus grande qu'un placard.

— Regardez, Pilar, des boîtes et des boîtes de petits gâteaux, de fruits confits, d'oranges, de dattes et de noix... Et là...

— Oh ! s'exclama Pilar en battant des mains. Comme c'est joli, ces boules dorées et argentées...

— C'est pour accrocher au sapin, avec les cadeaux pour les domestiques. Et ça, ce sont des petits bonshommes de neige tout brillants de givre que l'on met sur la table du réveillon. Et il y a des ballons de toutes les couleurs qui ne demandent qu'à être gonflés !

— Oh ! s'écria encore Pilar, les yeux brillants. Est-ce qu'on peut en gonfler un ? Lydia ne dira rien. J'adore les ballons.

— Quel bébé vous faites ! dit Stephen. Alors, lequel voulez-vous ?

— Le rouge, dit Pilar.

Ils choisirent leurs ballons et se mirent à souffler dedans en gonflant les joues. Pilar s'arrêta de souffler pour rire, et son ballon se dégonfla :

— Vous avez l'air si drôle, avec vos joues énormes, quand vous soufflez !

Son rire sonna haut et clair. Puis elle se remit à souffler avec application. Ils nouèrent soigneusement l'extrémité des ballons et se mirent à jouer avec, en les envoyant en l'air du plat de la main.

— Là-bas, dans le hall, on aurait plus de place, dit Pilar.

Ils s'envoyaient les ballons en riant quand Poirot traversa le hall. Il les contempla avec indulgence :

— Alors on fait joujou, comme les enfants ? C'est gentil, ça !

— Le mien, c'est le rouge, expliqua Pilar tout essoufflée. Il est plus gros que le sien. Bien plus gros. Si on l'envoyait dehors, il s'envolerait dans le ciel.

— Envoyons-les dans le ciel et faisons un vœu, dit Stephen.

— Oh oui, bonne idée !

Pilar courut vers la porte du jardin, suivie de Stephen. Poirot fermait la marche, l'air toujours aussi indulgent.

— Je vais souhaiter plein d'argent, annonça Pilar.

Elle se dressa sur la pointe des pieds. Le ballon, au bout de son fil, oscilla doucement sous la caresse du vent. Pilar le lâcha et il s'en alla flotter au loin, porté par la brise.

— Il ne faut pas dire votre vœu tout haut, dit Stephen en riant.

— Non ? Pourquoi pas ?

— Parce qu'il ne se réalisera pas. Maintenant, je vais faire le mien.

Il lâcha son ballon, mais il eut moins de chance. Le ballon partit à l'horizontale, accrocha une touffe de buis et éclata avec un bruit sec.

Pilar se précipita.

— Il est mort..., annonça-t-elle d'une voix tragique.

Et, tout en remuant du pied le petit lambeau de caoutchouc, elle ajouta :

— Alors, c'est ça que j'ai ramassé dans la chambre de grand-père. Lui aussi, il avait eu un ballon, sauf que le sien était rose.

Poirot lança une brusque exclamation et Pilar se tourna vers lui d'un air interrogateur.

— Ce n'est rien, dit Poirot. Je me suis torché... non, pardon... tordu le pied.

Il se retourna et contempla la maison.

— Que de fenêtres ! dit-il. Une maison, mademoiselle, a des yeux — et aussi des oreilles. Il est vraiment regrettable que les Anglais aient un goût aussi prononcé pour les fenêtres ouvertes.

Lydia apparut sur la terrasse.

— Le déjeuner est prêt, dit-elle. Pilar, ma chérie, nous avons tout réglé pour le mieux. Alfred vous expliquera en détail après le déjeuner. Passons-nous à table ?

Ils regagnèrent la maison. Poirot fermait la marche. Il avait l'air grave.

3

Le déjeuner venait de s'achever.

En sortant de table, Alfred s'adressa à Pilar :

— Vous venez dans mon bureau ? Nous avons à parler.

Et il l'entraîna vers son cabinet de travail dont il referma la porte derrière eux. Les autres s'installèrent au salon. Seul Hercule Poirot resta dans le hall, à contempler pensivement la porte close du bureau.

Il eut soudain conscience que le vieux majordome rôdait autour de lui, l'air mal à l'aise.

— Oui, Tressilian, qu'y a-t-il ?

Le vieil homme paraissait troublé. Il finit par dire :

— Je souhaitais parler à Mr Lee, mais je ne veux pas le déranger maintenant.

— Il s'est passé quelque chose ? demanda Poirot.

— C'est tellement bizarre... Ça n'a aucun sens.

— Dites-moi, insista Poirot.

Tressilian hésita, puis il se lança :

— Eh bien, voilà, monsieur. Vous avez peut-être remarqué qu'il y avait deux gros boulets de canon à l'entrée — un de chaque côté de la porte. Deux grosses boules de pierre très lourdes. Eh bien, monsieur, l'une d'elles a disparu !

Hercule Poirot haussa les sourcils :

— Depuis quand ?

— Elles étaient là toutes les deux ce matin, monsieur. J'en mettrais ma tête à couper.

— Allons voir ça.

Ils sortirent tous deux sur le perron. Poirot se pencha pour examiner le boulet restant. Quand il se releva, son visage était très grave.

— Qui aurait l'idée de voler une chose pareille, monsieur ? chevrota Tressilian. Ça n'a aucun sens.

— Je n'aime pas ça, dit Poirot. Je n'aime pas ça du tout...

Tressilian le regardait avec anxiété. Il se mit à parler d'une voix fatiguée :

— Qu'est-il arrivé à cette maison, monsieur ? Depuis que le maître a été assassiné, on dirait que tout va de travers. J'ai sans arrêt l'impression de marcher dans un rêve. Je mélange tout, et par moments, je me dis que je ne peux plus faire confiance à mes propres yeux.

— Vous avez tort, dit Hercule Poirot en hochant énergiquement la tête. C'est précisément à vos propres yeux que vous devez faire confiance.

Tressilian secoua la tête :

— Ma vue est mauvaise, je n'ai plus d'aussi bons yeux qu'autrefois. Je confonds les choses — et les gens. Je deviens trop vieux pour faire mon travail.

Hercule Poirot lui tapota l'épaule :

— Courage !

— Merci, monsieur. Vous le dites gentiment, je le sais bien. Mais ça ne change rien, je me fais vieux. J'en reviens toujours à l'ancien temps et aux anciens visages. Miss Jenny, et master David, et master Alfred. Je les vois toujours comme des jeunes gens et de jeunes demoiselles. Depuis le soir où Mr Harry est revenu à la maison...

— Oui, dit Poirot avec un hochement de tête, c'est bien ce que je pensais. Vous avez dit tout à l'heure : « Depuis que le maître a été assassiné » — mais c'est en fait *avant* que tout a commencé. *C'est depuis que*

Mr Harry est revenu à la maison, n'est-ce pas, que les choses ont commencé à changer et à paraître irréelles ?

— Vous avez tout à fait raison, monsieur, admit le majordome, c'est à ce moment-là. Mr Harry a toujours amené le trouble dans cette maison, même dans le bon vieux temps.

Son regard revint se poser sur l'emplacement vide.

— Qui peut bien avoir pris ce boulet, monsieur ? chuchota-t-il. Et pourquoi ? On se croirait dans... dans une maison de fous.

Poirot le fit taire :

— Ce n'est pas de la folie que j'ai peur. C'est de la saine logique, dit-il d'un ton grave. Quelqu'un, Tressilian, est en grand danger.

Il tourna les talons et rentra dans la maison.

Pilar sortait précisément du bureau. Ses joues étaient en feu. Elle avait la tête haute et l'œil étincelant.

Comme Poirot s'approchait d'elle, elle tapa soudain du pied en criant :

— Je n'accepterai pas !

— Qu'est-ce que vous n'accepterez pas, mademoiselle ? s'enquit Poirot en haussant les sourcils.

— Alfred vient de me dire que j'allais toucher la part de ma mère dans l'héritage de grand-père.

— Eh bien ?

— Il a dit que je n'y avais pas droit selon la loi, mais que Lydia, les autres et lui considèrent qu'elle doit me revenir. Ils disent que c'est une question de justice. Alors ils vont me la donner.

— Eh bien ? répéta Poirot.

Pilar tapa du pied encore une fois :

— Vous ne comprenez pas ? Ils me la donnent ! Ils me la *donnent* !

— Et alors ? Devez-vous en prendre ombrage ? Puisqu'ils ont raison, et qu'en toute justice cet argent doit vous revenir ?

— Vous ne comprenez pas..., répéta Pilar.

— Détrompez-vous, dit Poirot. Je comprends très bien.

— Oh... !

Elle lui tourna le dos avec fureur.

La sonnette de l'entrée retentit. Poirot jeta un coup d'œil par-dessus son épaule et vit la silhouette du superintendant Sugden à travers la vitre dépolie.

— Où allez-vous ? demanda-t-il en toute hâte.

— Dans le salon, grommela Pilar, maussade. Rejoindre les autres.

— Bien, dit Poirot très vite. Restez avec eux. Ne vous promenez pas dans la maison toute seule, surtout après la tombée de la nuit. Soyez sur vos gardes. Vous êtes en grand danger, mademoiselle. Vous ne serez jamais en aussi grand danger qu'aujourd'hui.

Il se détourna brusquement et alla à la rencontre de Sugden. Ce dernier attendit que Tressilian soit retourné à l'office pour agiter un câble sous le nez de Poirot.

— Cette fois, ça y est ! dit-il. Lisez. Ça émane de la police d'Afrique du Sud.

Le câble disait :

« *Le fils unique d'Ebenezer Farr est mort il y a deux ans.* »

— À présent, nous savons ! dit Sugden. C'est drôle... j'étais sur une tout autre piste...

4

Pilar entra au salon bille en tête.

Elle marcha droit sur Lydia, assise près de la fenêtre, un tricot à la main :

— Lydia, je suis venue vous dire que je ne prendrai pas cet argent. Je m'en vais... tout de suite.

Lydia parut stupéfaite. Elle laissa tomber son tricot :

— Ma chère petite, Alfred a dû très mal s'expliquer ! Ce n'est pas du tout de la charité, si c'est cela que vous pensez. Vraiment, ce n'est ni de la gentillesse ni de la générosité de notre part. C'est une simple question de justice. Dans le cours normal des choses, votre mère aurait hérité de cet argent qui vous serait revenu ensuite. C'est votre droit, le droit du sang. Il ne s'agit pas de charité, mais de *justice* !

— Et c'est bien pour ça que je ne peux pas le prendre, dit Pilar avec fureur, pas quand vous parlez comme ça, pas quand vous êtes comme ça ! Ça m'a bien plu de venir ici. C'était amusant ! C'était une aventure, mais maintenant, vous avez tout gâché ! Je m'en vais tout de suite, et vous serez débarrassés de moi pour toujours.

Sa voix s'étrangla. Elle fit volte-face et sortit du salon en courant.

Lydia la regarda partir, bouche bée.

— Je n'imaginais pas qu'elle le prendrait comme ça ! dit-elle d'un ton navré.

— Cette petite a l'air complètement bouleversée, remarqua Hilda.

George s'éclaircit la voix avec componction.

— Hum ! Comme je le soulignais ce matin, le principe même en est inacceptable. Pilar a l'intelligence de le voir par elle-même. Elle refuse la charité...

— Ce n'est *pas* de la charité, l'interrompit sèchement Lydia. C'est son droit !

— Elle n'a pas l'air de le penser ! répliqua George.

Le superintendant Sugden et Hercule Poirot firent diversion en entrant en trombe. Le premier embrassa l'assemblée du regard :

— Où est Mr Farr ? Je voudrais lui dire un mot.

Avant que quiconque ait eu le temps de répondre, Hercule Poirot s'écria :

— Où est la señorita Estravados ?

— Partie faire ses bagages à ce qu'elle prétend, répondit George Lee sans pouvoir dissimuler sa satisfaction. Elle en a apparemment assez de sa famille anglaise.

Poirot se retourna d'un bond.

— Venez ! dit-il à Sugden.

Au moment où les deux hommes sortaient dans le hall, on entendit au loin un choc sourd, suivi d'un hurlement.

— Vite ! ! Venez ! cria Poirot.

Ils se précipitèrent vers les escaliers, qu'ils grimpèrent quatre à quatre. La porte de la chambre de Pilar était ouverte et un homme se tenait sur le seuil. Au bruit de leur course, il tourna la tête. C'était Stephen Farr.

— Elle n'a rien... dit-il simplement.

Pilar était recroquevillée contre le mur de sa chambre, les yeux rivés par terre, là où gisait une grosse boule de pierre.

Elle haletait :

— Elle était posée en équilibre sur le haut de ma porte. Elle m'aurait écrasé la tête, si ma jupe ne s'était pas prise à un clou et ne m'avait pas retenue au moment où j'entrais.

Poirot s'agenouilla pour examiner le clou. Un fil de tweed rouge y était resté accroché. Il leva les yeux et hocha gravement la tête :

— Ce clou, mademoiselle, vous a sauvé la vie.

Le superintendant semblait dépassé.

— Mais enfin, qu'est-ce que ça signifie ? s'exclama-t-il, hagard.

— Quelqu'un a essayé de me tuer ! dit Pilar dont la tête dodelinait.

Le superintendant Sugden regarda la porte.

— Le coup du seau d'eau, dit-il. Une vieille plaisanterie de chambrée... mais là c'était pour tuer ! C'est le second crime projeté dans cette maison. Mais cette fois, la combine n'a pas marché !

— Dieu merci, vous n'avez rien, dit Stephen Farr, d'une voix enrouée.

Pilar leva les bras au ciel dans un grand geste d'imploration.

— *Madre de Dios*, s'écria-t-elle. Pourquoi pourrait-on bien vouloir me tuer, *moi* ? Qu'est-ce que j'ai fait ?

Hercule Poirot prit un ton grave :

— Vous feriez mieux, mademoiselle, de vous demander : *qu'est-ce que je sais ?*

Elle le fixa sans comprendre.

— Moi ? Mais je ne sais rien du tout !

— C'est là que vous vous trompez, répondit Poirot. Dites-moi, mademoiselle Pilar, où étiez-vous au moment du meurtre ? Vous n'étiez pas dans cette chambre.

— J'étais ici. Je vous l'ai dit !

— Oui, susurra le superintendant Sugden avec une douceur trompeuse, mais vous nous avez menti en disant cela, et vous le savez. Vous nous avez dit que vous aviez entendu votre grand-père crier, mais vous n'auriez pas pu l'entendre si vous aviez été ici. Mr Poirot et moi l'avons vérifié hier.

Pilar étouffa un petit cri de stupeur.

— Vous étiez quelque part, beaucoup plus près de sa chambre, poursuivit Poirot. Je vais vous dire où je crois que vous étiez, mademoiselle. Vous étiez dans l'alcôve avec les statues, tout près de la chambre de votre grand-père.

— Oh ! Comment savez-vous ça ? sursauta Pilar, suffoquée.

Poirot eut un petit sourire :

— Mr Farr vous a vue.

— Moi ? Absolument pas, s'écria Stephen. C'est totalement faux !

— Je vous demande pardon, Mr Farr, répliqua Poirot, mais vous l'avez bel et bien vue. Rappelez-vous votre impression qu'il y avait là non pas *deux*, mais *trois* statues. Une seule personne portait une robe blanche cette nuit-là, mademoiselle Estravados. La troisième silhouette, c'était *elle*. N'est-ce pas, mademoiselle ?

Après quelques instants d'hésitation, Pilar finit par avouer :

— Oui, c'est vrai.

— À présent, mademoiselle, reprit Poirot avec douceur, dites-nous toute la vérité. *Pourquoi* étiez-vous là ?

— J'ai quitté le salon après le dîner en me disant que j'allais monter voir mon grand-père. J'étais persuadée que ça lui ferait plaisir. Mais quand j'ai tourné dans le couloir, j'ai vu qu'il y avait quelqu'un d'autre à sa porte. Je ne voulais pas qu'on me voie parce que je savais que grand-père ne voulait pas de visite ce soir-là. Je me suis cachée près des statues, pour le cas où la personne devant la porte se retournerait.

» Et puis, tout d'un coup, j'ai entendu des bruits

horribles, des tables et des chaises — elle agita les mains —, tout qui tombait et se fracassait. Je n'ai pas bougé. Je ne sais pas pourquoi. J'avais peur. Et puis, il y a eu un hurlement terrible (elle se signa) et mon cœur... mon cœur s'est arrêté de battre et j'ai pensé : « Quelqu'un est mort... »

— Et ensuite ?

— Ensuite, les gens sont arrivés en courant dans le couloir et j'ai fini par sortir et les rejoindre.

Le superintendant Sugden prit une voix cassante :

— Vous n'avez rien dit de tout ça quand nous vous avons interrogée. Pourquoi ?

Pilar secoua la tête d'un air sagace :

— Ce n'est jamais bon de trop en dire à la police. Vous comprenez, je me suis dit que si j'avouais que j'étais tout près, vous alliez croire que c'était moi qui l'avais tué. Alors j'ai dit que j'étais dans ma chambre.

— Tout ce qu'on gagne à mentir, la sermonna Sugden, c'est d'attirer sur soi les soupçons.

— Pilar ? dit Stephen Farr.

— Oui ?

— *Qui avez-vous vu devant la porte* quand vous avez tourné dans le couloir ? Dites-le-nous.

— Oui, appuya Sugden, dites-le-nous.

La jeune fille hésita un moment. Ses yeux s'ouvrirent tout grands, puis s'étrécirent. Enfin elle déclara lentement :

— Je ne sais pas qui c'était. Il faisait trop sombre pour voir. *Mais c'était une femme...*

5

Le superintendant Sugden promena son regard sur le cercle des visages. Depuis le début de l'enquête, il n'avait jamais été aussi près de manifester de l'irritation :

— C'est tout à fait irrégulier, monsieur Poirot.

— C'est une petite idée à moi, répondit celui-ci. Je désire partager avec tout le monde la connaissance que j'ai acquise. Après quoi je demanderai à chacun son concours, et ainsi nous parviendrons à la vérité.

— Des tours de cirque, marmotta Sugden.

Il se renfonça dans son fauteuil.

Et Poirot commença :

— Avant tout, je crois que vous avez une explication à demander à Mr Farr.

La bouche de Sugden se durcit.

— J'aurais préféré un moment plus discret, dit-il. Néanmoins, je n'y vois pas d'objection. (Il tendit le câble à Stephen Farr.) À présent, Mr Farr, ainsi que vous vous faites appeler, vous allez peut-être pouvoir nous expliquer ceci ?

Stephen Farr prit le câble. Levant les sourcils, il le lut lentement à voix haute. Puis, en s'inclinant, il le rendit au superintendant.

— Oui, c'est plutôt accablant, n'est-ce pas ?

— C'est tout ce que vous trouvez à dire ? rétorqua

Sugden. Je dois vous avertir que vous n'êtes pas tenu de faire une déclaration sans la présence...

Stephen Farr l'interrompit :

— Vous n'avez pas besoin de m'avertir, superintendant. Je sais déjà ce que vous allez me dire ! Oui, je vais vous donner une explication. Elle n'est pas très bonne, mais c'est la vérité.

Il fit une pause, puis commença son récit :

— Je ne suis pas le fils d'Ebenezer Farr, c'est vrai. Mais j'ai très bien connu le père et le fils. Maintenant, essayez de vous mettre à ma place. (À propos, mon vrai nom est Stephen Grant.) Je débarquais dans ce pays pour la première fois de ma vie. J'étais déçu. Tout me paraissait terne et froid, les gens, les choses, tout. Et puis je suis monté dans un train et j'ai vu une fille. Inutile de tourner autour du pot : j'ai eu le coup de foudre ! C'était la plus jolie créature du monde, et aussi la plus inattendue ! J'ai bavardé avec elle pendant un moment, et me suis juré de ne pas la perdre de vue. Comme je quittais le compartiment, mes yeux sont tombés sur l'étiquette de sa valise. Son nom ne me disait rien, mais l'adresse où elle allait, si. J'avais entendu parler de Gorston Hall, et je connaissais tout de son propriétaire. C'était l'ancien associé d'Ebenezer Farr, et le vieil Eb était intarissable à son égard et ne cessait de clamer à quel point c'était un personnage haut en couleur.

» Bref, l'idée m'est venue de me rendre à Gorston Hall en me faisant passer pour le fils d'Eb. Comme le dit ce câble, il était mort depuis deux ans, mais j'entendais encore le vieil Eb me répéter qu'il n'avait plus eu de nouvelles de Simeon Lee depuis des années, et j'ai fait le pari que Lee ne serait pas au courant de la mort du fils d'Ebenezer. En tout cas, je trouvais que le jeu en valait la chandelle.

— Mais vous n'avez pas tenté le coup tout de suite, fit remarquer Sugden. Vous êtes resté deux jours au *King's Arms*, à Addlesfield.

— Je réfléchissais — je pesais le pour et le contre, dit Stephen. En fin de compte, je me suis décidé. L'aventure était tentante. Et ça a marché comme sur des roulettes ! Le vieux m'a accueilli le plus amicalement du monde et m'a demandé aussitôt de rester chez lui. J'ai accepté. Voilà, superintendant, toute mon explication. Si elle vous défrise rappelez-vous les beaux jours où vous étiez amoureux et demandez-vous si vous ne vous êtes jamais livré à quelques gaudrioles. Quant à mon vrai nom, comme je vous l'ai dit, c'est Stephen Grant. Vous pouvez câbler en Afrique du Sud pour vérifier, mais permettez-moi de vous le dire : vous allez découvrir que je suis un citoyen parfaitement respectable. Je ne suis ni un escroc ni un voleur de bijoux.

— Je n'ai jamais pensé que vous l'étiez, dit doucement Poirot.

Le superintendant se caressait la mâchoire avec circonspection.

— Il va falloir que je vérifie tout ça. Ce que j'aimerais savoir, c'est pourquoi vous n'avez pas raconté votre petite histoire après le meurtre, au lieu de nous servir ce tissu de mensonges ?

Stephen eut un sourire désarmant :

— Parce que je me suis conduit comme un crétin ! Je pensais m'en tirer en douce ! Je me disais que si j'admettais que j'étais ici sous un faux nom, ça aurait l'air louche. Si je n'avais pas été le roi des imbéciles, j'aurais deviné que vous alliez câbler à Johannesburg.

— Eh bien, Mr Farr — enfin, Grant — je ne dis pas que je ne crois pas à votre histoire, conclut Sugden. De toute façon, elle ne tardera pas à être confirmée... ou infirmée.

Il jeta un coup d'œil interrogateur à Poirot qui reprit la parole :

— Je crois que miss Estravados a quelque chose à dire.

Pilar était devenue très pâle.

— C'est vrai, souffla-t-elle. Je ne vous l'aurais jamais dit, si ce n'était pas à cause de Lydia et de l'argent. Venir ici, me faire passer pour une autre et jouer la comédie — c'était très amusant. Mais quand Lydia a dit que l'argent était à moi et que ce n'était que justice, alors ç'a été différent. Ça ne m'a plus amusée du tout.

— Mais de quoi parlez-vous, Pilar ? Je ne comprends pas, dit Alfred, complètement égaré.

— Vous pensez que je suis votre nièce, Pilar Estravados ? Mais ce n'est pas vrai ! Pilar a été tuée quand je traversais l'Espagne avec elle. Une bombe est tombée sur notre voiture et elle a été touchée, tandis que moi, je n'avais rien. Je ne la connaissais pas très bien, mais elle m'avait tout raconté sur son compte : comment son grand-père l'avait fait rechercher pour la ramener en Angleterre et à quel point il était très riche. Moi, je n'avais pas un sou et je ne savais ni quoi faire ni où aller. Et je me suis dit tout d'un coup : « Pourquoi est-ce que je ne prendrais pas le passeport de Pilar pour aller en Angleterre à sa place et devenir richissime ? »

Un grand sourire illumina son visage :

— Oh ! c'était excitant de me demander si je réussirais ! En photo, nous n'étions pas trop dissemblables. Mais quand on m'a demandé mon passeport ici, j'ai ouvert la fenêtre, je l'ai jeté dehors et, en courant le récupérer, j'ai frotté un peu de terre sur la photo, parce qu'à la douane ils ne regardent pas de très près, mais ici, ils auraient pu...

Alfred Lee l'interrompit avec colère :

— Vous voulez dire que vous vous êtes présentée à mon père comme sa petite-fille, et que vous vous êtes jouée de ses sentiments ?

Pilar affichait toute la satisfaction du monde :

— Oui, j'ai vu tout de suite que je pourrais l'amener à m'aimer beaucoup.

George Lee explosa :

— Inconcevable ! bredouilla-t-il. Criminel ! Tenter d'extorquer de l'argent par des moyens frauduleux...

— Ce n'est pas à *toi* qu'elle en aurait extorqué, mon vieux ! intervint Harry Lee. Pilar, je me range à vos côtés ! Je m'incline devant votre culot. Et, foutredieu ! je ne suis plus votre oncle, désormais ! Cela me laisse les mains libres.

Pilar regarda Poirot :

— *Vous*, vous le saviez ? Depuis quand le savez-vous ?

— Mademoiselle, dit Poirot en souriant, si vous aviez étudié les lois de Mendel, vous sauriez que deux personnes aux yeux bleus risquent fort peu d'avoir un enfant aux yeux noirs. Votre mère était, j'en suis convaincu, une personne aussi chaste que respectable. Il s'ensuivait ipso facto que vous n'étiez pas Pilar Estravados. Quand vous avez fait votre numéro du passeport, j'en ai été certain. C'était ingénieux, mais vous voyez, pas tout à fait assez ingénieux.

— C'est le tout qui n'est pas tout à fait assez ingénieux, gronda le superintendant d'une voix mauvaise.

Pilar écarquilla les yeux :

— Je ne comprends pas...

— Vous nous avez servi une histoire, continua Sugden, mais il y a encore plein de choses que vous ne nous avez pas racontées.

— Fichez-lui la paix ! s'écria Stephen.

Le superintendant Sugden ne se laissa pas impressionner. Il poursuivit :

— Vous nous avez dit que vous étiez montée dans la chambre de votre grand-père après le dîner. Vous prétendez avoir agi sous le coup d'une impulsion. Mais je vais vous suggérer autre chose. C'est vous qui avez volé ces diamants. Vous les avez eus entre les mains. À l'occasion, peut-être les avez-vous retirés du coffre sans que le vieux vous voie ! Quand il s'est aperçu que les diamants n'étaient plus là, il a compris tout de suite que seules deux personnes avaient pu les prendre. L'une était Horbury, qui aurait pu mettre la main sur la combinaison et se glisser dans la chambre pendant la nuit. L'autre personne, c'était vous.

» Mr Lee a aussitôt pris des mesures. Il m'a téléphoné et m'a prié de passer le voir. Puis il vous a fait dire de monter chez lui aussitôt après le dîner. Vous êtes montée, et il vous a accusée du vol. Vous avez nié. Il a insisté. Je ne sais pas ce qui s'est passé ensuite — il a peut-être compris que vous n'étiez pas sa petite-fille, mais une très habile petite voleuse. En tout cas, les jeux étaient faits, vous alliez être démasquée, et vous vous êtes jetée sur lui avec un couteau. Il y a eu lutte et il a crié. Vous aviez le dos au mur. Vous vous êtes précipitée hors de la chambre, vous avez tourné la clé de l'extérieur, et puis, sachant que vous ne pouviez pas vous enfuir, avant que les autres arrivent, vous vous êtes *glissée dans le renfoncement, à côté des statues.*

Pilar se mit à crier d'une voix aiguë :

— Ce n'est pas vrai ! Ce n'est pas vrai ! Je n'ai pas volé les diamants ! Je ne l'ai pas tué ! Je le jure sur la Vierge Marie.

— *Alors qui l'a fait ?* aboya Sugden. Vous dites que vous avez vu une silhouette devant la porte de Mr Lee. D'après votre récit, *cette personne* serait *le meurtrier. Personne d'autre* n'est passé devant les statues ! Mais nous n'avons que *votre* parole pour savoir *qu'il y avait là une silhouette.* En d'autres termes, *vous avez inventé tout ça* pour vous disculper !

— Bien sûr, qu'elle est coupable ! s'écria George Lee. C'est assez clair ! J'ai toujours dit et répété que c'était un étranger qui avait tué mon père ! C'est une absurdité sans nom de prétendre qu'un membre de la famille aurait pu faire une chose pareille ! Ce... ce ne serait pas naturel !

Poirot s'agita sur son siège :

— Je ne suis pas d'accord avec vous. Si l'on considère le caractère de Simeon Lee, ce serait au contraire la chose la plus naturelle au monde !

— Hein ?

Mâchoire pendante, George dévisageait Poirot.

— Et selon moi, poursuivit ce dernier, c'est effectivement ce qui s'est passé. Simeon Lee a été tué par sa propre chair et son propre sang, pour une raison qui était bonne et suffisante aux yeux du meurtrier.

— L'un de nous ? cria George. Je vous interdis...

La voix de Poirot l'interrompit, dure comme l'acier :

— Chacun de vous ici ferait un bon coupable. Nous commencerons par *vous*, Mr George Lee. *Vous* n'éprouviez aucune affection pour votre père ! Vous restiez en bons termes avec lui uniquement pour l'argent ! Le jour de sa mort, *il a menacé de réduire votre rente*. Vous saviez qu'à sa mort vous hériteriez sans doute d'une somme substantielle. Voilà pour le mobile. Après dîner, vous êtes allé, dites-vous, téléphoner. Vous avez bien téléphoné, mais la communication n'a duré que *cinq minutes*. Après cela, vous pouviez facilement monter dans la chambre de votre père, bavarder avec lui, puis l'attaquer et le tuer. Vous avez quitté la chambre et tourné la clé de l'extérieur, espérant ainsi mettre le crime sur le dos d'un cambrioleur. Seulement vous avez omis — la panique, sans doute — de vous assurer que la fenêtre était bien ouverte, pour appuyer la théorie du cambriolage. C'était stupide de votre part, mais, pardonnez-moi de vous le dire tout net, vous êtes un homme assez stupide !

» Néanmoins, conclut Poirot après une courte pause au cours de laquelle George essaya de proférer un son sans y parvenir, beaucoup d'hommes stupides ont été des criminels !

Il se tourna vers Magdalene :

— Madame aussi avait un mobile. Je pense qu'elle a des dettes, et le ton de certaines remarques de votre père peut l'avoir... alarmée. Elle non plus n'a pas d'alibi. Elle est allée téléphoner, mais elle *n'a pas* téléphoné, et nous n'avons *que sa parole* pour savoir ce qu'elle a fait en réalité...

» Et puis, il y a Mr David Lee. On nous a parlé à maintes reprises du caractère vindicatif et de la longue mémoire qui caractérisent les Lee. Mr David Lee n'a ni oublié ni pardonné la façon dont son père a traité sa mère. Une dernière moquerie à l'égard de la morte a pu être la goutte d'eau qui fait déborder le vase. Il paraît que David Lee jouait du piano au moment du meurtre. Par coïncidence, il jouait la Marche funèbre. Mais si c'était *quelqu'un d'autre* qui jouait cette Marche funèbre, quelqu'un qui savait ce que David allait faire et qui approuvait cette action ?

— C'est là une suggestion infâme, dit Hilda Lee sans se départir de son calme.

Poirot se tourna vers elle :

— Je vais vous en faire une autre, madame. C'est *votre* main qui a accompli le forfait. C'est *vous* qui vous êtes glissée au premier pour exécuter un homme que vous jugiez au-delà de tout pardon humain. Vous êtes de ces gens, madame, qui peuvent être terribles dans la colère...

— Je ne l'ai pas tué, dit Hilda.

Le superintendant Sugden tonna soudain :

— Mr Poirot a tout à fait raison. Tout le monde aurait pu le tuer, sauf Mr Alfred Lee, Mr Harry Lee et Mrs Alfred Lee !

— Je n'excepterais même pas ces trois-là, dit benoîtement Poirot.

— Oh, voyons, monsieur Poirot ! protesta le superintendant.

— Et les charges contre moi, quelles sont-elles, monsieur Poirot ? demanda Lydia Lee.

Elle souriait un peu, les sourcils ironiquement levés. Poirot s'inclina :

— Je passe sur votre mobile, madame. Il est assez évident. Pour le reste, vous portiez l'autre soir une robe de taffetas avec une cape au motif très particulier. Je vous rappellerai que Tressilian, le majordome, est myope. Les objets lointains sont vagues et flous pour lui. Je vous ferai également remarquer que votre salon est vaste et éclairé par des lampes très tamisées. Ce soir-là, une minute ou deux avant qu'on entende le cri, Tressilian est entré dans le salon pour desservir le café. Il vous a vue, *croit-il,* dans une attitude familière devant la fenêtre du fond, à moitié dissimulée par les lourdes tentures.

— Il m'a pourtant bel et bien vue, insista Lydia Lee.

— Je suggère que *ce qu'il a discerné n'était peut-être que l'étole de votre robe,* disposée pour qu'on la voie contre le rideau, comme si vous étiez là en personne...

Lydia s'insurgea :

— Je me tenais là...

Alfred s'emporta :

— Comment osez-vous suggérer... ?

Harry l'interrompit :

— Laisse-le continuer, Alfred. C'est notre tour, après. Comment le cher Alfred a-t-il pu tuer son père bien-aimé, selon vous, alors que nous étions ensemble dans la salle à manger à ce moment-là ?

Poirot le gratifia d'un sourire radieux.

— Ça, c'est très simple. Un alibi gagne de la force quand il est donné à contrecœur. Votre frère et vous êtes en mauvais termes. C'est connu. *Vous,* vous ne perdez pas une occasion de vous payer *sa* tête en public. Et *lui,* il se ferait étriper plutôt que de dire du bien *de vous.* Mais *imaginons que tout cela fasse par-*

tie d'un habile complot. Supposons qu'Alfred Lee soit fatigué de faire les trente-six volontés d'un tyran. Supposons que vous vous soyez rencontrés en cachette il y a de cela quelque temps. Votre plan est arrêté. Vous arrivez à la maison. Alfred semble ne pas apprécier votre retour. Il laisse voir sa jalousie et son antipathie à votre égard. Vous étalez votre mépris au sien. Et puis, vient la nuit du meurtre que vous avez si ingénieusement projeté ensemble. L'un de vous deux reste dans la salle à manger, parlant tout fort, haussant le ton peut-être pour faire croire à une querelle. *L'autre grimpe l'escalier et commet le crime...*

Alfred bondit sur ses pieds.

— Espèce de salopard ! s'étrangla-t-il.

Sugden regardait Poirot avec des yeux ronds.

— Vous voulez vraiment dire que... ?

La voix de Poirot se fit impérieuse :

— Il fallait que je vous montre les *possibilités !* Ce sont les choses qui *auraient pu* arriver ! Ce qui s'est *réellement* passé, on ne peut le dire qu'en allant au-delà des apparences, au cœur de la réalité...

Il fit une pause, puis reprit lentement :

— Comme je l'ai déjà dit, nous devons en revenir à la personnalité de Simeon Lee lui-même...

6

Il y eut un court moment de silence. Assez curieusement, toute indignation, toute fureur semblaient s'être dissipées. Hercule Poirot tenait son public sous le charme de sa personnalité. Ils le regardaient, fascinés, tandis que, lentement, il reprenait son exposé :

— Tout est là, voyez-vous. La victime est le centre et la clé du mystère ! Nous devons sonder profondément le cœur et l'âme de Simeon Lee et analyser ce que nous y trouverons. Car un homme ne vit pas ni ne meurt pour lui seul. Ce qu'il a, il le transmet à ceux qui viennent après lui...

» Qu'avait donc Simeon Lee à léguer à sa descendance ? L'orgueil, tout d'abord. Un orgueil frustré chez le vieillard par la déception que lui causaient ses enfants. La patience, ensuite. On nous a dit que Simeon Lee était capable d'attendre des années l'occasion de se venger de qui lui avait fait du tort. Nous voyons que c'est le fils qui lui ressemblait le moins physiquement qui a hérité ce trait de caractère. David Lee est lui aussi capable d'entretenir son ressentiment des années durant. À l'opposé, Harry Lee est le seul des enfants de Simeon Lee qui lui ressemble *physiquement*. Cette ressemblance est très frappante quand on examine le portrait de Simeon

Lee jeune homme. Même nez aquilin, même ligne dure de la mâchoire, même port de tête. Harry a en outre hérité des tics de son père — cette habitude, par exemple, de renverser la tête pour rire, et aussi cette caresse du doigt le long de sa mâchoire.

» Tous ces éléments à l'esprit, et bien convaincu que le meurtre avait été commis par une personne étroitement liée à la victime, j'ai étudié les membres de la famille d'un point de vue psychologique. C'est-à-dire que j'ai essayé de déterminer lesquels étaient *des criminels potentiels psychologiquement vraisemblables*. Selon moi, seules deux personnes entrent dans cette catégorie : Alfred Lee et Hilda Lee, la femme de David. Je ne retiens pas David lui-même parmi les meurtriers possibles. Je ne crois pas qu'un individu d'une sensibilité aussi frémissante aurait pu supporter l'effusion de sang qui résulte d'un égorgement. George Lee et sa femme, je les écarte également. Quels que puissent être leurs désirs profonds, je ne crois pas qu'il soit dans leur tempérament de prendre un *risque*. Ils sont tous les deux essentiellement prudents. Mrs Alfred Lee, j'en ai l'intime conviction, est totalement incapable d'un acte de violence. Elle est d'un naturel par trop ironique. À propos de Harry Lee, j'ai hésité. Il a bien cette agressivité d'allure, mais j'étais pratiquement certain qu'en dépit de son bluff et de ses airs bravaches, Harry Lee est au fond un faible. Cela, je le sais à présent, était aussi l'opinion de son père. D'après lui, Harry ne valait pas mieux que les autres. Il ne me restait plus que deux personnes déjà mentionnées. Alfred Lee est un homme capable d'un très grand dévouement. Un homme qui a rongé son frein et s'est, pendant des années, soumis à la volonté d'un autre. Il n'est jamais exclu, dans de telles conditions, qu'un ressort finisse par craquer. De plus, il peut avoir nourri à l'encontre de son père un grief secret qui, au fil du temps et faute d'avoir jamais pu s'exprimer, n'a fait que croître et embellir. Ce sont les gens les plus doux et les plus calmes qui sont souvent capables de la violence la plus brutale et la plus inattendue — et ce pour la bonne raison que quand ils perdent le contrôle sur eux-mêmes, ils le perdent complètement ! L'autre personne que j'estimais capable d'un crime était Hilda Lee. Elle est du genre qui peut, en certaines occasions, se substituer à la justice — et sans que ce soit jamais pour des raisons égoïstes. De telles personnes passent sans transition du rôle de juge à celui de bourreau. On trouve des caractères de ce type dans l'Ancien Testament : Jaël et Judith, par exemple.

» À ce point de mes réflexions, j'ai réexaminé les circonstances du crime lui-même. Et la première chose frappante — ce qui saute à la figure, s'il est permis de s'exprimer ainsi ! — ce sont les circonstances extraordinaires du meurtre ! Rappelez-vous cette chambre où gisait le cadavre de Simeon Lee. Si vous vous en souvenez, il y avait une table massive et un lourd fauteuil renversés, une lampe, des vases de porcelaine, des verres, etc. Mais le plus surprenant restait le fauteuil et la table : ils étaient en acajou massif. On imagine mal comment des meubles d'un tel poids auraient pu être renversés au cours d'une lutte — quelle qu'ait été sa violence — entre ce frêle vieillard et son agresseur. Tout cela paraissait *irréel*. Et pourtant, aucune personne sensée ne serait allée organiser une telle mise en scène — à moins que Simeon Lee n'ait été tué par un homme très fort qui voulait donner l'impression que l'agresseur était une femme ou quelqu'un d'aussi faible que le vieil homme.

» Mais une telle hypothèse n'avait rien pour convaincre puisque le vacarme de cette mise en scène allait forcément donner l'alarme et que le meurtrier aurait très peu de temps pour s'enfuir. L'intérêt du meurtrier *quel qu'il soit* était certainement de couper la gorge de Simeon Lee *le plus silencieusement* possible.

» Un autre détail extraordinaire était la clé tournée dans la serrure de l'extérieur. Là encore, il semble n'y avoir aucune *raison* à un tel procédé. Cela ne pouvait suggérer un suicide, puisque rien dans cette mort ne s'accordait avec l'idée de suicide. Ce n'était pas pour suggérer une fuite par les fenêtres — puisque ces fenêtres étaient bloquées de telle sorte que toute retraite par là était impossible ! De plus, une fois encore, cela demandait du *temps*. Temps qui *devait* être compté au meurtrier !

» Il y avait encore un indice incompréhensible : un morceau de caoutchouc découpé dans la trousse de toilette de Simeon Lee et une petite cheville de bois que m'a montrés le superintendant Sugden. Ils avaient été ramassés sur le sol par une des premières personnes à être entrées dans la pièce. Là encore, *ces objets n'avaient aucun sens !* Ils ne voulaient absolument rien dire ! Et pourtant, ils étaient là.

» Le crime, vous le voyez, devient de plus en plus incompréhensible. Il n'obéit à aucun ordre, aucune méthode — et, pour tout dire, il n'est pas *raisonnable*.

» À ce stade surgit une autre difficulté. Le superintendant Sugden a été appelé par la victime ; celle-ci lui a signalé un vol et lui a demandé de revenir une heure et demie plus tard. *Pourquoi ?* Si c'est parce que Simeon Lee soupçonne sa petite-fille ou un autre membre de la famille, pourquoi ne demande-t-il pas au superintendant Sugden d'attendre en bas pendant qu'il a un entretien avec la personne suspectée ? La présence du superintendant dans les murs lui aurait fourni un moyen de pression bien plus efficace.

» Nous en arrivons ainsi au point où ce n'est pas seulement le comportement du meurtrier qui est extraordinaire, mais également celui de Simeon Lee !

» C'est alors que je me dis : « Tout ceci est absurde ! » Et pourquoi est-ce absurde ? Parce que nous le regardons *sous le mauvais angle*. Nous le regardons *sous l'angle que le meurtrier cherche à nous imposer*...

» Nous sommes en présence de trois éléments qui n'ont aucun sens : la bagarre dévastatrice, la clé tournée de l'extérieur, et le lambeau de caoutchouc. Mais il *doit* y avoir une façon de considérer ces trois éléments qui leur donnerait un sens ! Je fais donc le vide dans mon esprit, j'oublie les circonstances apparentes du crime, et je considère enfin ces trois éléments pour *ce qu'ils sont*. Une *bagarre*. Dévastatrice. Qu'est-ce que cela suggère ? De la violence, des dégâts, du *bruit*. La *clé ? Pourquoi* tourne-t-on une clé ? Pour que personne n'entre. Mais la clé n'a empêché personne d'entrer, puisque la porte a été enfoncée presque aussitôt. Pour enfermer quelqu'un *dedans* ? Pour laisser quelqu'un *dehors ?* Et le lambeau de caoutchouc ? Un morceau de trousse de toilette n'est à tout prendre qu'un morceau de trousse de toilette, point final !

» On serait donc tenté de décréter qu'il n'y a rien à tirer de ces trois éléments... et pourtant, ce serait — ô combien ! — inexact : il en demeure trois impressions : bruit, enfermement, absurdité...

» Cela cadre-t-il avec la personnalité de l'un ou l'autre de mes deux coupables possibles ? Non. Pour Alfred Lee comme pour Hilda, un meurtre *silencieux* aurait été infiniment préférable ; perdre du temps à fermer la porte de l'extérieur était absurde ; et quant au petit bout de trousse de toilette... il ne signifiait toujours strictement rien !

» Et pourtant, j'ai la conviction profonde qu'il n'y a rien d'absurde dans ce crime — qu'il a été au contraire fort bien préparé et remarquablement exécuté. Qu'il est, en fait, *réussi !* Et donc que tout ce qui s'est passé était *voulu*...

» Et puis, à force de tourner et de retourner tout cela dans ma tête, une première lueur m'est apparue...

» Du sang — *tant de sang,* du sang partout... Une sorte d'emphase sur le sang — du sang frais, rouge, brillant... Tant de sang... *trop de sang...*

» Et il m'est venu là-dessus une autre pensée. Ce meurtre est un meurtre de sang — il s'explique *par* le sang. *C'est le sang de Simeon Lee qui retombe sur lui...*

Hercule Poirot se pencha en avant :

— Les deux indices les plus utiles dans cette affaire m'ont été fournis — oh, bien inconsciemment ! — par deux personnes différentes. Le premier, quand Mrs Alfred Lee a cité *Macbeth* : « *Qui aurait cru que le vieil homme eût en lui tant de sang ?* » Et l'autre quand Tressilian, le majordome, s'est laissé aller à des confidences. Il m'a en effet confié que ses idées se brouillaient, que tout ce qui se produisait lui semblait la répétition de ce qui s'était déjà produit auparavant. C'est un événement très simple qui lui a donné cette étrange impression. Il a entendu la sonnette et il est allé ouvrir la porte à Harry Lee, et puis le lendemain il a fait la même chose pour Stephen Farr.

» Seulement voilà : *pourquoi* avait-il cette impression ? Regardez Harry Lee et Stephen Farr *et vous verrez pourquoi.* Ils se ressemblent de façon stupéfiante ! C'est pour cela qu'*ouvrir la porte à Stephen Farr était exactement comme ouvrir la porte à Harry Lee.* Ç'aurait presque pu être le même homme qui se tenait là. Et pas plus tard qu'aujourd'hui encore, Tressilian m'a dit qu'il ne cessait de confondre les gens. Pas étonnant ! Stephen Farr a le nez aquilin, l'habitude de rejeter la tête en arrière quand il rit et ce tic de se caresser la mâchoire du doigt. Examinez attentivement le portrait de Simeon Lee jeune homme, et vous verrez *non seulement Harry Lee, mais aussi Stephen Farr...*

Stephen s'agita. Son fauteuil craqua. Poirot poursuivit :

— Rappelez-vous la sortie de Simeon Lee, sa tirade contre sa famille. Il a dit qu'il était bien sûr d'avoir des fils un peu mieux que vous — même s'ils n'étaient que de la main gauche. Nous en revenons une fois de plus au caractère de Simeon Lee. Simeon Lee, qui plaisait aux femmes et qui a brisé le cœur de la sienne ! Simeon Lee, qui s'est vanté auprès de Pilar de pouvoir se constituer une jolie garde personnelle rien qu'en rameutant ses bâtards ! J'en suis donc arrivé à cette conclusion : Simeon Lee n'avait pas seulement sous son toit sa famille légitime pour les fêtes de Noël, *mais aussi un fils de son sang dont il ignorait jusque-là l'existence et n'avait donc jamais pu reconnaître...*

Stephen bondit sur ses pieds.

— C'était là votre véritable raison, n'est-ce pas ? dit Poirot. Pas cette touchante histoire de la jeune inconnue rencontrée dans le train ! Vous étiez en route pour Gorston Hall *avant de la rencontrer.* Vous veniez voir *quelle sorte d'homme était votre père...*

Stephen était pâle comme la mort.

— Oui, je me le suis toujours demandé, avoua-t-il d'une voix rauque. Ma mère me parlait de lui, parfois. C'en est devenu une sorte d'obsession : voir à quoi il ressemblait ! J'ai donc mis un peu d'argent de côté, histoire de venir en Angleterre. Je n'avais pas l'intention de lui dire qui j'étais, mais de me présenter comme le fils du vieil Eb. Je suis venu ici pour une seule raison : voir à quoi ressemblait l'homme qui était mon père...

Le superintendant Sugden manqua s'étrangler :

— Bon Dieu ! Et dire que je n'y ai vu que du feu ! Mais où avais-je la tête ? Deux fois, je vous ai pris pour Mr Harry Lee, et pourtant je n'ai rien compris !

Il se tourna vers Pilar :

— Alors, c'était ça, n'est-ce pas ? C'était Stephen

Farr que vous avez vu debout devant la porte ? Vous
avez hésité, je me souviens, vous l'avez regardé avant
de dire que c'était une femme. Mais c'était Farr que
vous aviez vu, et vous vous êtes bien gardée de le
dénoncer !

Il y eut un crissement de soie froissée. Puis la voix
profonde de Hilda Lee s'éleva :

— Non, dit-elle. Vous vous trompez. C'est *moi* que
Pilar a vue.

— Vous, madame ? dit Poirot. Oui, c'est bien ce
que je pensais...

Hilda poursuivit sans s'émouvoir :

— Curieuse chose que l'instinct de conservation.
Je ne me serais pas crue si lâche : me taire uniquement parce que j'avais peur !

— Vous déciderez-vous à parler, maintenant ?

Elle hocha la tête :

— J'étais avec David dans la salle de musique. Il
jouait. Il était d'humeur très bizarre. J'avais un peu
peur et je mesurais toute l'étendue de ma responsa-
bilité, car c'était après tout moi qui avais insisté pour
venir. David s'est mis à jouer la Marche funèbre, et
j'ai soudain pris ma décision. Tant pis si cela paraissait incongru, j'avais décidé que nous partirions le
soir même. Je suis sortie sans bruit de la salle de
musique et suis montée au premier. Je voulais aller
trouver Mr Lee et lui dire sans détour pourquoi nous
ne restions pas. J'ai longé le couloir qui mène à sa
chambre et frappé à la porte. Il n'y a pas eu de
réponse. J'ai frappé un peu plus fort : toujours pas de
réponse. J'ai essayé de tourner la poignée, mais la
porte était fermée à clé. Et alors, comme je restais là,
indécise, *j'ai entendu du bruit dans la chambre...*

Elle s'interrompit, puis reprit :

— Vous n'allez pas me croire, mais c'est la vérité !
Il y avait quelqu'un à l'intérieur, en train d'attaquer
Mr Lee. J'ai entendu les tables et les fauteuils qu'on
renversait et les verres et les vases qu'on brisait, et

enfin j'ai entendu cet horrible cri d'agonie. Et puis, le silence est retombé.

» J'étais clouée sur place ! Je ne pouvais plus bouger ! Et puis Mr Farr est arrivé en courant, et Magdalene et tous les autres. Mr Farr et Harry se sont mis à enfoncer la porte. Elle a cédé et nous avons vu la chambre, *et il n'y avait personne dedans,* excepté Mr Lee qui baignait dans tout ce sang.

Sa voix posée s'éleva d'un ton et elle s'écria :

— *Il n'y avait personne à l'intérieur, personne,* vous comprenez ! Et *personne n'était sorti de la chambre...*

7

Le superintendant Sugden poussa un soupir issu des tréfonds :

— Ou je deviens cinglé, ou c'est vous qui l'êtes tous ! Mrs Lee, ce que vous venez de nous débiter n'a ni queue ni tête. Ça ne tient pas debout !

— Je vous répète que je les ai entendus se bagarrer là-dedans, et que j'ai entendu le vieillard hurler quand on lui a coupé la gorge ! Mais personne n'est sorti, et il n'y avait personne dans la pièce !

— Et, depuis lors, vous ne nous avez pas soufflé mot de tout cela, murmura Hercule Poirot, le reproche dans la voix.

Hilda Lee était très pâle, mais elle répondit d'un ton ferme :

— Non, parce que si je vous avais raconté ce qui s'était passé, vous n'auriez pu sauter qu'à une seule conclusion : que c'était *moi* la meurtrière.

Poirot secoua la tête.

— Non, dit-il. Vous ne l'avez pas tué. C'est son fils qui l'a tué.

— Je vous jure devant Dieu que je ne l'ai jamais touché ! s'écria Stephen Farr.

— Pas vous, dit Poirot. Il avait d'autres fils !

Harry dévida un chapelet de jurons :

George écarquilla les yeux.

David se passa la main sur les yeux.

Alfred cilla par deux fois.

— Le tout premier soir de mon arrivée, poursuivit Poirot, le soir du meurtre, j'ai vu un fantôme. *C'était le fantôme du mort.* Quand j'ai fait la connaissance de Harry Lee, j'ai été troublé : j'avais le sentiment de l'avoir déjà vu ailleurs. Puis j'ai étudié attentivement ses traits et constaté à quel point il ressemblait à son père, et je me suis dit que c'était de là que me venait cette impression de déjà-vu.

» Mais hier, un homme assis en face de moi s'est mis à rire en renversant la tête — et j'ai su *à qui me faisait penser Harry Lee.* Et une fois de plus, j'ai revu, sur un autre visage, les traits du mort.

» Pas étonnant que le pauvre vieux Tressilian ait commencé à s'embrouiller après avoir ouvert la porte non pas à deux mais à *trois* hommes qui se ressemblaient étrangement. Pas étonnant qu'il se soit mis à confondre les gens quand il y avait trois hommes dans la maison qui, en n'y regardant pas de trop près, pouvaient passer l'un pour l'autre ! Même carrure, mêmes gestes — l'un en particulier, ce geste du doigt sur la mâchoire — même façon de rire la tête en arrière, même nez busqué très caractéristique. Et pourtant, la ressemblance n'était pas toujours facile à voir, *parce que le troisième homme avait une moustache.*

Poirot se pencha en avant :

— On oublie trop souvent que les officiers de police sont des hommes, qu'ils ont des femmes, des enfants, des mères, et aussi... des pères... Rappelez-vous la réputation de Simeon Lee dans la région : un homme dont les aventures galantes ont brisé le cœur de sa femme. Un fils de la main gauche peut hériter de beaucoup de choses. Il peut hériter des traits et des gestes de son père. Il peut hériter de son orgueil, de sa patience et de son esprit de vengeance !

Il éleva la voix :

— Toute votre vie, Sugden, vous en avez voulu à votre père du tort qu'il vous avait fait. Je crois que vous aviez décidé depuis longtemps de le tuer. Vous venez du comté voisin, pas très loin d'ici. Aucun doute que votre mère, avec l'argent que lui a si généreusement donné Simeon Lee, a pu trouver un mari qui servirait de père à son enfant. Il était facile pour vous d'entrer dans la police du Middleshire et d'attendre votre heure. Un superintendant de la police est idéalement placé pour commettre un meurtre sans être inquiété.

Sugden était blanc comme un linge :

— Vous êtes fou ! Je n'étais pas dans la maison à l'heure où il a été tué.

Poirot secoua la tête :

— Non, et pour cause : vous l'aviez tué avant de quitter la maison, la première fois. Après votre départ, personne ne l'a vu vivant. Pour vous, c'était si facile. Simeon Lee vous attendait, c'est exact, *mais il ne vous a jamais demandé de venir !* C'est vous qui lui aviez téléphoné en évoquant vaguement une tentative de cambriolage. Vous lui aviez dit que vous lui rendriez visite juste avant 8 heures le soir même en prétextant d'une quête pour les œuvres de la police. Simeon Lee n'a rien soupçonné. Il ne savait pas que vous étiez son fils. Vous êtes venu, vous lui avez raconté une histoire de substitution de diamants. Il a ouvert son coffre pour vous prouver que les vrais diamants étaient bien en sa possession. Vous vous êtes excusé, vous êtes revenu près du feu avec lui, et là, sans crier gare, vous lui avez tranché la gorge tout en le bâillonnant d'une main pour l'empêcher de crier. Un jeu d'enfant pour un homme de votre gabarit.

» Et puis vous avez organisé votre mise en scène. Vous avez empoché les diamants. Vous avez empilé les tables et les fauteuils, les lampes et les verres, et les avez entrelacés d'une très fine cordelette que vous portiez enroulée autour de la taille. Vous aviez sur vous une bouteille de sang d'un animal fraîchement tué, additionné d'une bonne dose de citrate de sodium. Vous avez aspergé la pièce de ce mélange et ajouté une rasade de citrate de sodium à la mare de sang qui s'échappait de la blessure de Simeon Lee. Vous avez poussé le feu pour que le corps garde sa température. Puis vous avez passé les deux extrémités de la cordelette par l'étroite ouverture en bas de la fenêtre et les avez laissées pendre le long du mur. Vous avez quitté la pièce et tourné la clé de l'extérieur. Ce dernier point était capital, *puisque personne ne devait, à aucun prix, entrer dans cette chambre.*

» Sur quoi vous êtes sorti et avez caché les diamants dans le jardin miniature. Si on finissait par les découvrir là, cela ne ferait que renforcer les soupçons là où vous le vouliez : c'est-à-dire sur les enfants légitimes de Simeon Lee. Un peu avant 9 heures et quart, vous êtes revenu, vous vous êtes glissé jusqu'au mur situé sous la fenêtre et vous avez tiré sur la corde. Cela a déséquilibré tout votre savant échafaudage. Les meubles et les vases de porcelaine se sont écroulés avec fracas. Vous n'avez plus eu qu'à tirer sur l'une des extrémités de la corde avant de la réenrouler autour de votre taille, sous votre veste et votre gilet.

» Mais vous n'aviez pas encore dit votre dernier mot !

Il se tourna vers les autres :

— Chacun de vous se souvient comment il a décrit le cri d'agonie de Mr Lee ? Ce n'était jamais la même chose. Vous, Mr Lee, vous avez parlé du cri d'un homme à l'agonie. Votre femme et David Lee ont utilisé tous les deux la même expression : une âme en enfer. Mrs David Lee, au contraire, a dit que c'était le cri de quelqu'un qui n'aurait *pas* eu d'âme. Elle l'a décrit comme un cri inhumain, le hurlement d'une bête. C'est Harry Lee qui a approché la vérité de plus près. Il a dit qu'on aurait cru un cochon qu'on égorge.

» Vous connaissez ces longues baudruches roses qu'on vend dans les foires, enluminées de caricatures et qu'on appelle « cochon qu'on égorge » ? Quand on les dégonfle, l'air s'en échappe avec un hurlement inhumain. C'était là, Sugden, votre touche finale. Vous aviez disposé une de ces baudruches dans la chambre. Elle était bouchée avec une cheville de bois, mais cette cheville était reliée à la cordelette. Quand vous avez tiré sur la cordelette, la cheville est partie et la baudruche s'est mise à se dégonfler. Dominant alors le vacarme des meubles renversés, a jailli le fameux cri du « cochon qu'on égorge ».

Il se retourna une fois encore vers les autres :

— Vous comprenez à présent ce qu'avait ramassé Pilar Estravados ? Le superintendant avait espéré arriver à temps pour récupérer ce lambeau de caoutchouc avant que quelqu'un ne le remarque. Néanmoins, il a pu le reprendre à Pilar assez vite et de la manière la plus officielle. Mais, notez bien cela : *il n'a jamais mentionné cet incident à quiconque.* En soi, c'était déjà un fait assez singulier. J'en ai entendu parler par Magdalene Lee et je l'ai asticoté à ce sujet. Il s'était préparé à cette éventualité. Il avait découpé un morceau de la trousse de toilette de Mr Lee et c'est cela qu'il m'a montré, avec une cheville de bois. Superficiellement, cela répondait à la même description — un bout de caoutchouc et un morceau de bois. Et, à première vue, cela n'avait rigoureusement aucun sens ! Mais, comme un imbécile, je ne me suis pas dit aussitôt : « Cela n'a aucun sens, *donc ça n'a pas pu se trouver là, et le superintendant Sugden me mène en bateau...* » Non, j'ai bêtement continué à chercher une explication. Et ce n'est qu'en regardant miss Estravados jouer avec un ballon qui a éclaté — et quand elle s'est écriée que ça devait être un bout de ballon qu'elle avait ramassé dans la chambre de Simeon Lee — que j'ai découvert la vérité.

» Vous voyez à présent comme tout concorde ? Cette bagarre improbable, *qui est nécessaire pour falsifier l'heure de la mort ;* cette porte fermée, pour empêcher quiconque d'entrer trop tôt ; le hurlement d'agonie de la victime. Le crime est à présent logique et raisonnable.

» Mais dès l'instant où Pilar Estravados a crié sur les toits sa découverte à propos du ballon, elle est devenue source de danger pour le meurtrier. Et si, de la maison, celui-ci avait entendu cette remarque — ce qui était des plus vraisemblables car elle a la voix haute et claire et les fenêtres étaient ouvertes —, c'est elle qui, par ricochet, se trouvait à son tour en très grand danger. Une fois, déjà, elle avait donné des sueurs froides au meurtrier. Elle avait dit, en parlant du vieux Mr Lee : « Quand il était jeune, il a dû être très beau. » Et elle avait ajouté, en s'adressant à Sugden : « *Comme vous.* »Elle l'avait dit tout à fait intentionnellement, et Sugden le savait. Inutile de se demander pourquoi il est devenu pourpre et a failli s'étrangler. C'était tellement inattendu, et tellement dangereux pour lui ! Après cela, il a espéré pouvoir rejeter la culpabilité sur elle, mais cela s'est révélé plus difficile que prévu, puisque, en tant que petite-fille sans héritage du vieil homme, elle n'avait évidemment aucun mobile pour ce meurtre. Plus tard, quand il l'a entendue de l'intérieur de la maison faire cette remarque au sujet du ballon, il s'est résolu à prendre des mesures désespérées. Il a disposé ce boulet de pierre pendant que nous déjeunions. Heureusement, par une sorte de miracle, il a cette fois manqué son coup.

Un silence de mort tomba. Puis Sugden s'enquit avec le plus grand calme :

— Quand avez-vous eu une certitude ?

— Je n'ai pas été sûr de moi avant de rapporter ici

une fausse moustache et de l'essayer sur le portrait de Simeon Lee. Mais à partir de ce moment-là... le visage qui m'a regardé était le vôtre.

— Qu'il aille rôtir en enfer ! tonna Sugden. Je suis content de l'avoir tué !

SEPTIÈME PARTIE

28 DÉCEMBRE

1

— Pilar, dit Lydia, vous feriez mieux de rester chez nous jusqu'à ce que nous vous trouvions une meilleure solution.

— Vous êtes très bonne, Lydia, répondit Pilar d'une petite voix. Vous êtes gentille. Vous pardonnez facilement, sans en faire une histoire.

Lydia sourit :

— Je continue de vous appeler Pilar, et pourtant vous avez sans doute un autre prénom.

— Oui, je m'appelle Conchita Lopez.

— Conchita est un très joli prénom, lui aussi.

— Vous êtes vraiment trop gentille, Lydia. Mais il ne faut pas vous inquiéter pour moi. Je vais épouser Stephen et nous allons partir pour l'Afrique du Sud.

— Eh bien, en voilà une jolie conclusion !

Pilar se fit toute douceur et timidité :

— Puisque vous avez déjà été si gentille, Lydia, croyez-vous que nous puissions revenir un jour passer Noël avec vous et — qui sait ? — faire partir des quantités de diablotins et de pétards... et manger des tas et des tas de puddings flambés... et accrocher des myriades de boules et de guirlandes dans le sapin... et puis faire des bonshommes de neige ?

— Mais bien sûr. Il faut que vous reveniez pour qu'on vous offre un vrai Noël anglais !

— Ce serait merveilleux. Parce que, vraiment, cette année, ça ne correspondait pas du tout à l'idée qu'on peut se faire de Noël.

Le souffle fit un instant défaut à Lydia :
— N-non..., ça ne correspondait pas à l'idée qu'on peut se faire de Noël.

— Eh bien, au revoir, Alfred, dit Harry. Je crois que tu n'auras plus l'occasion de souffrir de ma présence. Je pars pour Hawaii. J'ai toujours eu envie de vivre là-bas s'il m'advenait d'avoir trois sous.

— Au revoir, Harry, dit Alfred. J'espère que tu t'y plairas. En tout cas, je te le souhaite.

— Désolé de t'avoir tellement charrié, mon vieux, reprit Harry, mal à l'aise. J'ai un fichu sens de l'humour. Rien à faire pour m'empêcher d'asticoter les gens.

— Je devrais peut-être apprendre à goûter la plaisanterie, répondit Alfred, non sans effort.

— Bon, eh bien, salut ! dit Harry avec soulagement.

3

— David, dit Alfred, Lydia et moi avons décidé de vendre la maison. J'ai pensé que tu aimerais peut-être garder certains souvenirs de notre mère — sa chaise, et ce tabouret. Tu étais son préféré.

David hésita un moment.

— Merci d'y avoir pensé, Alfred, répondit-il en fin de compte. Mais, tu sais, je ne crois pas que je vais les prendre. Je ne veux rien de cette maison. Je crois préférable de tourner la page une bonne fois pour toutes.

— Oui, je comprends, dit Alfred. Tu as sans doute raison.

4

— Eh bien, au revoir, Alfred, pontifia une dernière fois George. Au revoir, Lydia. Quels terribles moments nous venons de passer. Et il nous reste encore à subir le procès. J'imagine que cette histoire sordide va être rendue publique... je veux dire... le fait que Sugden soit... hum !... le fils de mon père. N'estimez-vous pas que l'on pourrait lui suggérer de plaider le communisme viscéral et la haine de mon père en tant que figure de proue du capitalisme... quelque chose dans ce goût-là ?

— Mon cher George, répondit Lydia, vous ne croyez quand même pas qu'un homme comme Sugden va mentir pour *nous* faire plaisir ?

— Eh bien... euh... non, peut-être pas, en effet. Je vois ce que vous voulez dire. N'empêche, ce type doit être fou. Eh bien, encore une fois, au revoir !

— Au revoir, dit Magdalene. Et si nous allions tous ensemble passer Noël sur la côte d'Azur ou dans un endroit comme ça, l'année prochaine, histoire de nous amuser un peu !

— Ça dépendra du change, grommela George.

— Chéri, je t'en prie, ne sois pas *mesquin*.

Alfred sortit sur la terrasse. Lydia était penchée sur un bac de pierre. Elle se redressa en le voyant.

— Ouf ! soupira-t-il. Ils sont tous partis.

— Oui, quel bonheur !

— Tu l'as dit !

Il lui sourit :

— Tu vas être contente de quitter cette maison, non ?

— Pourquoi ? Ça te fait de la peine, à toi ?

— Non, j'en serai fou de joie. Il y a tant de choses intéressantes que nous pouvons faire ensemble. Continuer à vivre ici, ce serait se rappeler ce cauchemar en permanence. Dieu merci, c'en est fini !

— Grâce à Hercule Poirot, dit Lydia.

— Oui. Tu sais, c'était vraiment stupéfiant de voir comment tout se tenait une fois qu'il l'a eu expliqué.

— Je sais. Comme quand tu termines un puzzle et que toutes les pièces biscornues dont tu aurais juré qu'elles ne se caseraient jamais trouvent tout naturellement leur place.

— Il reste un petit détail qui n'a pas trouvé sa place. Qu'a donc bien pu faire George *après* avoir téléphoné ? Pourquoi ne l'a-t-il pas dit ?

— Comment ! tu n'es pas au courant ? Moi, j'avais

deviné tout de suite ! Il a fouillé dans tes papiers sur le bureau.

— Il a... ? Non, Lydia, personne ne ferait une chose pareille !

— George, si. Dès qu'il est question d'argent, on ne peut plus le tenir. Mais bien sûr, il n'aurait jamais avoué ça. Sauf peut-être au pied de l'échafaud !

— Tu fais un autre jardin ?

— Oui, tu vois.

— C'est quoi, cette fois ?

— Une tentative de reconstitution du Paradis terrestre. Mais un paradis terrestre revu et corrigé : il n'y a pas de serpent, et Adam et Ève sont résolument quadragénaires.

— Lydia chérie, dit tendrement Alfred, tu as été si patiente, pendant toutes ces années. Si bonne avec moi.

— Oui, mais vois-tu, Alfred, je t'aime, moi...

— Sacrebleu ! dit le colonel Johnson.

Puis il ajouta :

— Ça, par exemple !

Et puis encore :

— Bon sang de bonsoir !

Il se cala au fond de son fauteuil et contempla Poirot. Puis il se prit à geindre :

— Mon meilleur élément ! Mais où va la police !

— Même les policiers ont leur jardin secret ! dit Poirot. Sugden était orgueilleux comme un paon.

Le colonel Johnson secoua la tête. Il envoya un coup de pied dans les bûches du foyer pour passer son humeur.

— Comme je le dis toujours, remarqua-t-il tout à trac, rien ne vaut une bonne flambée !

Hercule Poirot, qui sentait un vent coulis dans son cou, se murmura *in petto :*

— Quant à moi, ce serait plutôt : vive le chauffage central...

Composition réalisée par JOUVE

IMPRIMÉ EN FRANCE PAR BRODARD ET TAUPIN
Usine de La Flèche (Sarthe).
ISBN : 2 - 7024 - 7852 - 2
Edition 01
Dépôt édit. 8950 - 11/1996
N° Impr. 4267C-5

52/6047/6